あなたにもできる！

図解

フォトリーディング超速読術

The PhotoReading Whole Mind System

フォトリーディング公認インストラクターズ 著

フォレスト出版

探しているのは、本を速く読む方法ですか？
それとも、本で得た知識を使いこなす方法ですか？

「本が速く読めたらなぁ……」

新しい分野について調べなければならないとき、山積みの本や書類を前に、思わずそうつぶやいたことはありませんか？

以前は、私もこれが口癖でした。そして実際にある速読を学んでみたのです。本を速く読めるようになったことはよいことでした。前職は大手企業のシステムエンジニア。社内でもその分野の専門家として扱われ、本屋でもコンピュータ書の1コーナーだけに立ち寄って、すぐに使える事例を探し求めていました。1冊500ページ超は当たり前の、分厚いＩＴ技術書やプログラム事例集を読むのに、速読方法はそれなりに役に立ちました。

●本が速く読めるだけでは意味がない！

しかしその後、転職してこれまでのＩＴとは関係ない、新しい分野の仕事にたずさわることになったとき、それだけではまったく役に立たないことがわかったのです。
新しい職場で必要になったのは、それまでの自分の専門分野では経験したことのない、マーケティング、マネジメント、カスタマーサポート、商品開発、戦略立案……。ありとあらゆる分野の知識と経験が不足していました。

手当たり次第に関連分野の本を買ってきて、必死で答えを探しましたが、そのほとんどにおいて、瞬間的に結果が出せるアイディアはなく、ぼんやりとした答えしか見つかりませんでした。

どれだけ速くページをめくっても、最後のページで「やっぱりこれも使えない本だった」と落胆して裏表紙を閉じることが続き、しかも速く読み終わった本ほど何が書いてあったか思い出せない。いまの自分にとって即効性のある知識を得られないことが不安で、読むことが苦痛になり、自分の情けなさに落ち込み、いつしか私の口癖も変わっていました。

「今すぐ使える知識がカンタンに手に入ったらなぁ……」

フォトリーディング成功者の声①

リストラされ失業中だった私が、１年間で300 冊以上の本を読み、本も出版！　本はたちまち増刷され、講演や執筆、取材の依頼が多数来るようになりました！

花輪陽子さん
ファイナンシャルプランナー・作家・翻訳家

詳しくはＰ94 へ⇒

本を読むスピードが飛躍的に速くなるだけでなく、物事を見る目や考え方が鋭敏になり、直感が鋭くなりました！　創造性もアップし、様々な角度で物事を見ることができるようになりました。

深谷明宏さん
カウンセラー・設計コンサルタント

詳しくはＰ99 へ⇒

試験の一週間前、ダメもとで教科書をフォトリーディングしたら、40 人中５人しか受からない試験に合格した！
また、次々と会いたかった経営者に会えたり、講演会の情報が自然と入ってくるようになった！

渡辺康弘さん　大学生

詳しくはＰ96 へ⇒

これまでに自分がまったく経験したことのない分野でも、フォトリーディングをすれば、短期間でお客様と対等にお話ができるレベルまで知識を引き上げられる！

中川邦子さん　ＩＴ講師・ＳＥ

詳しくはＰ94 へ⇒

あなたも、間違った本の読み方をしている!?

フォトリーディングを学んで、痛切に感じたことは「**本の読み方を間違えていた**」ということでした。

通常、本を手に取ると、最後の1文まで読もうとしていました。「読み残しているところにもっと大事なところがあるのではないか」と不安があり、著者の言っていることが理解できないと、何度もその箇所を読み返し、理解しないと先に進めない、と思い込んでいました。

しかし、本から必要な情報を得るために、この読み方は必要でしょうか?

重要なことは本の中身をつぶさに知ることではなく、**有益な情報を組み合わせて、現実に行動できるアイディアをつくること**です。

たとえば「仕事に活かす50個の方法」という本からメールの処理速度を上げるために必要な方法は、ほんの一部のページを読めば、事足りるはず。のちにクレーム処理について知りたくなったら、そのときにもう一度本を開けばいいのです。

フォトリーディング成功者の声②

現在では、１時間半で８冊フォトリーディングしています。そのおかげで、転職後の異業種の現場にもすぐになじみ、古参メンバーと意見を交わせるようになりました。

左次拓馬さん　ＩＴ関連会社勤務

詳しくはＰ100へ⇒

世の中のすべての人にフォトリーディングをすすめたい！
フォトリーディングがなければ、今の私の人生はなかったと思います。

木村恵さん　損害保険会社勤務

詳しくはＰ103へ⇒

朝の電車内のフォトリーディングだけで、その日の仕事が大成功！
１日10冊フォトリーディングして、新たなジャンルを勉強中です！

Ｔｏｍｏｍｉさん　ライター・カメラマン

詳しくはＰ102へ⇒

フォトリーディングは、人生をより幸せに生きるためのツール。フォトリーディングによって、精神的にとても成長し人脈も広がりました。
「自分の人生をしっかりと歩んでいきたい」「本当にほしいものを見つけたい」、そんな人々に大いに役立つ勉強法です。

大塚咲乃代さん　会社員・コーチ

詳しくはＰ104へ⇒

詳しくはＰ94【フォトリーディング成功者の声】へ→

また、これまでにないサービスをつくろうと思ったら、答えが書いてある本などありません。しかし、何冊もの本の中からヒントを得て組み合わせれば、1人でうんうん唸《うな》るよりよっぽど効率的にアイディアを得ることができます。

すなわち、本から知識を得て使いこなすために必要なものは、**優れた情報選出眼と、情報を編集して新しい解を導く情報編集力**なのです。

●誰もが無意識に使っている脳の作用を応用した読書法だから、あなたにも簡単にできる！

目的を定めて、2秒に一度、ぱらりぱらりとページをめくり、必要な情報は脳に質問を投げかけて引き出す。それだけで多量の情報を仕入れて、他の人には思いつかない、あなただけのオリジナルのアイディアを次々と生み出せるようになるとしたら、こんなに簡単な方法はないでしょう。

それを知ったとき、私は思わず叫んでいました。

「いままで本にかけてきた時間は何だったんだ？」

その後、私はフォトリーディングを本を読む以外にも、様々な場面で試してみました。**会社の書類やメール、雑誌、新聞、小説やマンガ**を読むときもフォトリーディングのテクニックを使いました。

その結果、**ありとあらゆる文書にフォトリーディングの技術は使える**、という確信を得たのです。

この本でご紹介するフォトリーディングは、正式には「フォトリーディング・ホール・マインド・システム」といいます。

5つのステップは、古今東西、多数の本を読む達人たちから得た、様々な有用な読書法と「フォトリーディング」という読書方法が一連の手順になったものです。その本からどのくらい情報を得たらいいか、どれだけ時間をかけるかによって、5つのステップを通しで使ったり、**一部のステップを使うだけでも大きな効果が上がる**、いわば**「読書法の宝箱」**ともいえるものです。

しかもその技術は、筋トレのように鍛えあげるものではなく、**私たちが普段から無意識に使っている脳の作用を、文書を処理することに応用したもの**。従って、**誰でも無理なく習得でき、一度習得してしまえば、自転車に乗るのと同じように、いつでも**

必要なときに使えるスキルになります。

この文書を使った情報処理法は、コンピュータで電子文書の情報検索をする様子に似ています。本というファイルを開き、文書全体をメモリに読み込んだ後、検索キーワードを入れて必要な情報を取り出す、脳の機能を使った、文書からの情報検索方法なのです。

●フォトリーディングは、資格試験、英語学習に使える！

フォトリーディングによって、目的を明確にして読書をするのは、アンテナを立てるようなものです。

五感が敏感になり、道を歩いていても、誰かと話をしていても、いま、知りたいことに関わる様々な情報が、入ってきやすくなります。

新しい知識を得たら試してみたくなりませんか？　試してみることで、本のページをめくるように次の展開が現れ、さらにやりたい、試してみたいと思えるようになります。実際に体験して得た経験知があれば、新しいアイディアを生み出すための組み合わせも無限に広がります。

いまや私にとって「本を読む」ということは情報収集であるだけでなく、脳を刺激して新しいアイディアを生み出す創造の作業でもあります。

私にとって最も役立ったのは、**自分が知らない分野の本を読まなければならないときでした。**私の仕事はコンテンツやサービスの開発なので、難しい文献や論文、翻訳されていない洋書を読む必要が多くあります。あらかじめフォトリーディングしておけば、文書になじみ感が生まれ、気楽に取り組みやすくなるため、安心して読めるようになりました。

突然、海外の賓客《ひんきゃく》のお世話をしなければならなくなったときもフォトリーディングに助けられました。英語の復習などする暇もなく、英語の辞書とその方の著作を必死でフォトリーディングしました。1週間つききりでお世話をしている間に、その方の新作の話が何度も出ましたが、自分でも驚くほどうまくダイアログできたのです。

フォトリーディングでは何度も小さな質問を繰り返すことで、層のように理解を深めていくことができます。そのため、**詳細にわたって分析・記憶する必要のある専門分野の勉強や、試験勉強、英語学習にも短時間で深い理解を得られます。**

あまりに簡単な方法なので、その効果を測りたくなって資格試験に挑戦する人が多いのも、このメソッドの特徴です。

●充実した人生を送るために、情報処理スピードを上げることは必要不可欠!

本書は、フォトリーディングの開発者、ポール・R・シーリィ氏の**大ベストセラー『【新版】あなたもいままでの10倍速く本が読める』のエッセンスを図解化**したものです。Q&Aの中には、これまで日本のフォトリーディング公認インストラクターが培ってきた、フォトリーディングでよくある質問をまとめています。

本書の「成功者の声」の中には数々のフォトリーダーの体験が載せられています。ぜひどんなときにフォトリーディングが役に立ったのか、参考にしてみてください。

いまや、1日に200冊を超える書籍が毎日出版され、1人のビジネスパーソンが1日に受け取る電子メールが100通を超えることが当たり前になってしまった世の中。大量の情報が世の中にあふれているいま、活字情報処理のスピードを上げることは、とりもなおさず自分の寿命の中で、有効に使える時間を増やすことにほかなりません。

あなたには時間がありません。本を読んだりメールをさばいたりするだけじゃなく、家族サービスもしなければならないし、つき合いの飲み会もある。自分を磨くためにネイルサロンに行ったり、旅行をしたりする時間もほしいでしょう。

自分に必要な情報を瞬時に選び出し、さっさと目の前の問題を片付けてしまえば、人生の中で経験できることはもっともっと増えていくでしょう。その経験が、さらに他の誰のものでもない、あなただけのアイディアを生み出す源泉となるのです。

フォトリーディングを学んで、**通勤時間で1日1冊の本が読めたら、1カ月で30冊、1年で365冊**。たった1年でそれだけの本が読めたら、その違いはどれだけの影響をあなたにもたらすでしょうか？

1日も早くこの読書法に出会い、その違いを体感していただきたい。そのためにこの本がお役に立てれば、これ以上の喜びはありません。

さあ、ページをめくって、このエキサイティングな読書法を、いますぐ試してみましょう！

フォトリーディング公認インストラクター　石ヶ森久恵

Steps of the PhotoReading Whole Mind System

フォトリーディング・ホール・マインド・システムの5つのステップ

1
準 備

2
予 習
（プレビュー）

STEP 2　予習（プレビュー）

- ●ざっと見渡す
- ●査定する
- ●決定する

3
フォト
リーディング

STEP 3　フォトリーディング

- ●準備（目的確認）
- ●加速学習モード
- ●始めのアファメーション
- ●フォトフォーカス
- ●チャント
- ●終わりのアファメーション

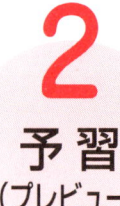

STEP 1　準備

●目的を明確にする
●集中学習モード
（ミカン集中法）

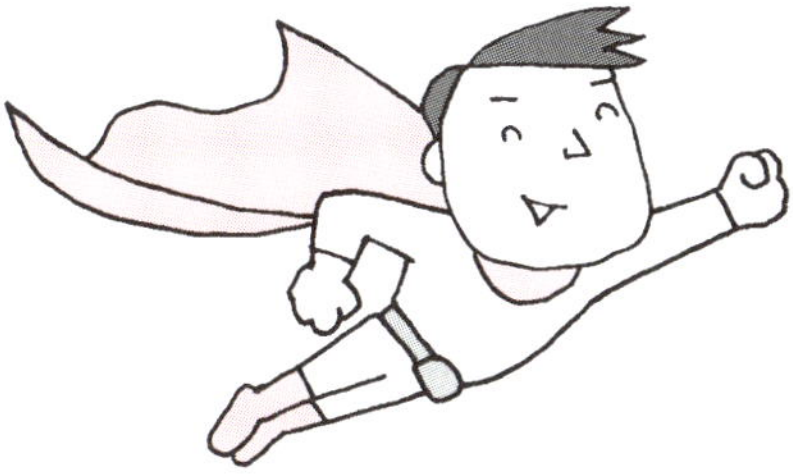

STEP 5 活性化
（アクティベーション）

●生産的休息
●質問の見直し
●スーパーリーディング＆ディッピング
●スキタリング
●マインド マップ
●高速リーディング

5
活性化
（アクティベーション）

STEP 4 復習
（ポストビュー）

●調査する
●トリガーワード
●質問をつくる

4
復習
（ポストビュー）

もくじ

第3部 速読を超えた速読！フォトリーディングでここまでできる！

第1部

いままでの読書法では限界があった！

「本は最初のページ、最初の行から、
一字一句丁寧に読んでいく」
あなたはそんな読書スタイルを続けていませんか？
「フォトリーディング・ホール・
マインド・システム」は、
古い常識をひっくり返す、
まったく新しい文書の読み方です。
単なる速読のテクニックではありません。
あなたの**脳が持つ大変な能力をフル活用**して、
本当に必要な情報だけを手に入れる
手段なのです！

まるで写真を撮るように脳にページを写し取る

これまで「正しい読書」とされていた考えとはまったく違う、新しい読書法！

●人間の脳が持っている偉大な力を利用する

1ページ1秒のペースでページをめくり、本の内容をまるで写真を撮るように頭に写し取っていく。これが「フォトリーディング」のテクニックです。「準備」「予習」のステップを経て「フォトリーディング」を行い、「復習」「活性化」で脳に取り込まれた情報を引き出すこの一連の読書法が「フォトリーディング・ホール・マインド・システム」です。

これは、アメリカの神経言語プログラミング（NLP）、加速学習の権威ポール・R・シーリィが開発しました。

彼自身も当初は正しい読書とは「書いてあることを最初から一字一句読んでいく。すべての語句をもらさず読み、正確に意味を理解して、それを記憶しなければならない」と信じ、自分の読書スピードの遅さに悩んでいました。

そして大学院で「どうすれば短期間で、効率的に学習することができるのか」という課題に取り組み研究を重ねていくうちに、人間の脳が持っている大きな力に気づき、目の知覚能力、脳の文字情報の処理能力に関する様々な実験を繰り返し、1985年「フォトリーディング」を開発します。その後「誰にでもフォトリーディングができるように」との目的のもとに研修プログラムとしてまとめられたものが、「フォトリーディング・ホール・マインド・システム」です。

●いままでの読書とはこんなに違う

「ゆっくり時間をかける」「一字一句丁寧に、正確に読む」「1回の読書で、すべてを理解する」というのが、いままでの読書の大きな特徴の一つです。

それに対しフォトリーディングの目的は、「決めた時間内で必要な理解度で読む」ということです。集中力を高め、短時間で必要な情報だけを手に入れる。同じ文書に何通りかの方法で目を通すことで、そのたびに理解力がアップする。文書に対して積極的に「質問を投げかけ、その答えを探す」というのが、この新しい読書法なのです。

これまでのように「書かれていることすべてを読まなかった」と罪悪感を持つ必要もありません。「何のためにこの本を読むのか」と、目的をはっきり持つことが重要です。

いままでの読書

- ゆっくり時間をかけて読む
- 1字1句丁寧に読む
- 最初のページから最後のページまで読む
- 1回の読書ですべてを分析し、理解し、
  記憶しようとする

フォトリーディング

- 自分が決めた時間内で
  必要な理解度で読み終える
- 1ページ1秒のペースで
  ページをめくる
- 質問を投げかけ、必要な
  情報だけを入手する
- 何通りかの方法で目を通して、
  そのたびに理解がアップ!
- 読むものの種類によって
  スピードを調整する

とにかく早い！　そして使える！

脳の力を最大限に生かした読書

いままでの読書では使われなかった右脳の力を利用して、効率的に情報を処理。まさに脳の新しい活用法！

●脳の情報処理能力はすごい！

私たちの頭の中でイメージや音楽、感情などの情報を主に処理しているのが「右脳」とよばれる部分です。

それに対して、「左脳」とよばれる部分は、主に論理や言語、分析についての情報を処理しています。

「1秒間に1ページの速さで本を脳に写し取っていく」というフォトリーディングは、主に左脳が行っている論理的、分析的な働きを一時的に回り道するものです。

つまり、右脳の働きを使って文書をイメージとして処理して、無意識的な領域に情報を取り込むのです。

いままでの「一字一句読んでいく」という読書は「意識上」だけを使っていたものです。いままでの読書法のメリットは、読んだ瞬間から意味がわかり始めるということです。

ただし、読むのには時間がかかります。

私たちの脳は感覚器官から毎秒1100万ビット以上の情報を感知しているといわれています。

一方、五感で捉《とら》えた情報のうち意識できる情報量は、毎秒16ビット程度だといわれています。

いくら意識下で高速度の情報処理をしても、情報の内容をすぐに説明できるわけではありません。左脳の働きを使って意識的に言語化する必要があるのです。

この脳のメカニズムにしたがって、普段の読書では使われない右脳の働きをも利用したのが、フォトリーディング・ホール・マインド・システムなのです。

最も効率的な読書は、無意識的に情報を吸収しそれを蓄積しておき、意識で言語化して理解する、というものです。

無意識的な領域に情報を取り込む作業がフォトリーディング・ホール・マインド・システムのステップ3「フォトリーディング」、無意識的領域から意識に情報を引き出す作業が、ステップ5の「活性化（アクティベーション）」と呼ばれるものです。

フォトリーディング・ホール・マインド・システムとは、脳のすべて（ホール・マインド）を使った「新しい読書法」なのです。

人間の脳を
最大限に利用するために…

↓

フォトリーディングで
無意識的な領域に情報を取り込む

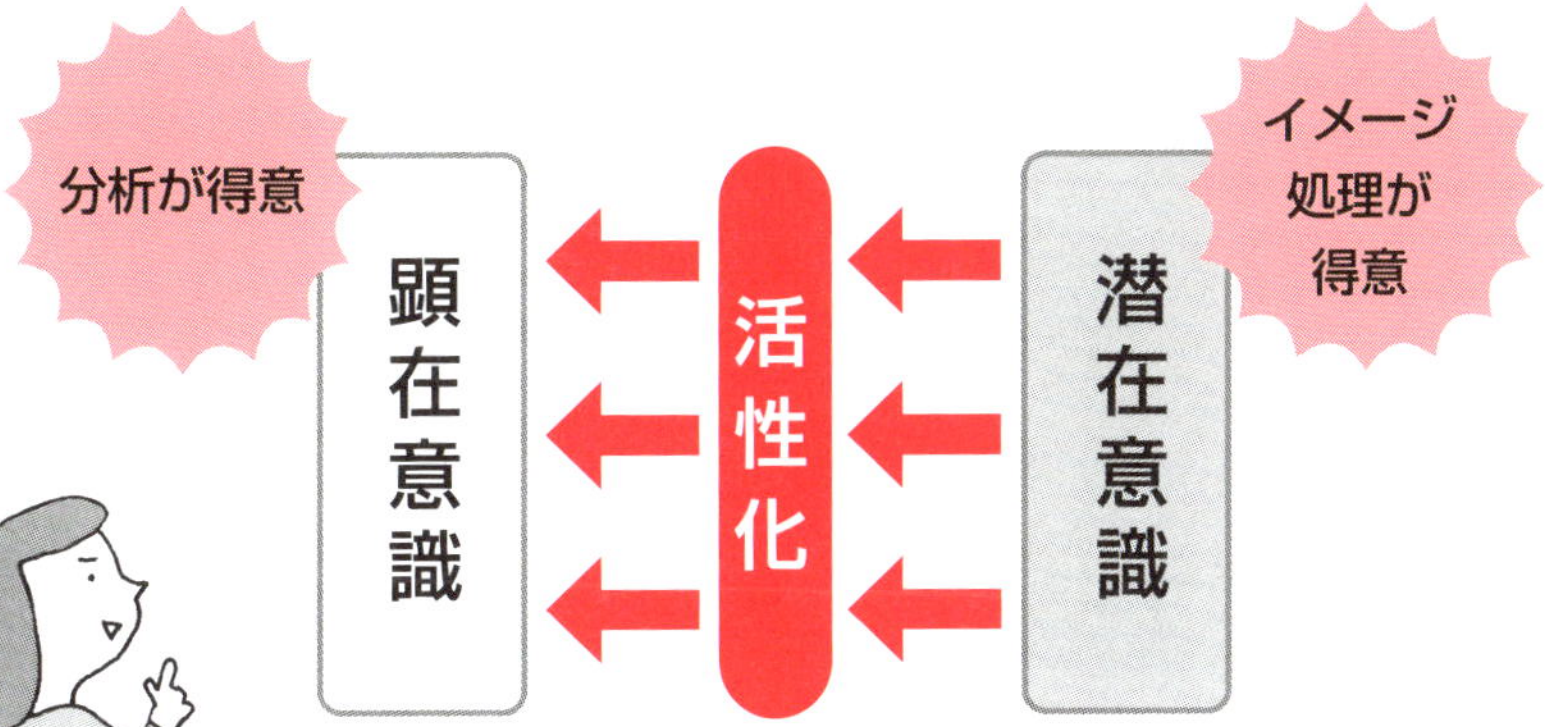

必要な情報だけを
脳を再度刺激して取り出す

**潜在意識の特徴と顕在意識の特徴を
最大限に使ったのが、フォトリーディング！**

「本を速く読む」だけではない！

単に「本を速く読む」だけでなく、勉強・仕事・習い事・趣味など、生活のあらゆる場面で活用できる

●アメリカの一流企業でも使用されている

フォトリーディングはあらゆるタイプの文書で使えます。

情報があふれかえっている現代社会では、あなたが「読まなければばならない」文書は数多くあるはずです。

たとえばあなたがビジネスマンであれば、デスクに山積みになった書類、毎日大量に送られてくるEメール。仕事で使う資料としての書籍や雑誌、新聞、マニュアル類……。これらの文書が、どんどん片付いていくのです。仕事の効率がアップすることはもちろんですし、文書に囲まれているというストレスからも解放されるのです。

また、フォトリーディングをもとにした「グループ活性化」という手法を使えば、会社での会議が密度の濃い、より質の高いものになります（P88参照）。参加者がそれぞれの情報を共有することで、最適な意思決定ができるのです。

実際に、AT&T、アメリカンエキスプレス、IBM、アップル・コンピュータ、3M等のアメリカの一流企業社員は、フォトリーディングの研修に参加、メキシコでは判事や司法行政に携わる人々はすべてフォトリーディングを習得することが義務付けられているほどです。

●試験勉強やスキル習得に使える

フォトリーディングは、試験勉強にも有効です。あるフォトリーダーは、資格試験のために1科目に50時間かかるところを、5時間で終わらせ、見事合格しました。新しい脳の使い方によって、最小の努力で最大の結果が得られるのです。

あなたが上達させたい技術（楽器、スポーツ、スピーチ術など）の入門書や技術書を何冊かフォトリーディングすることで、実際に技術を上達させることができます（P86参照）。「きつい練習を繰り返さなければ技術は上達しない」というのは、脳の新しい活用法からすれば古い考えなのです。

他にも、記憶力・集中力のアップや効率的な語学習得など、フォトリーディングを使ってできることは、とても幅広いのです。

フォトリーディングでできること

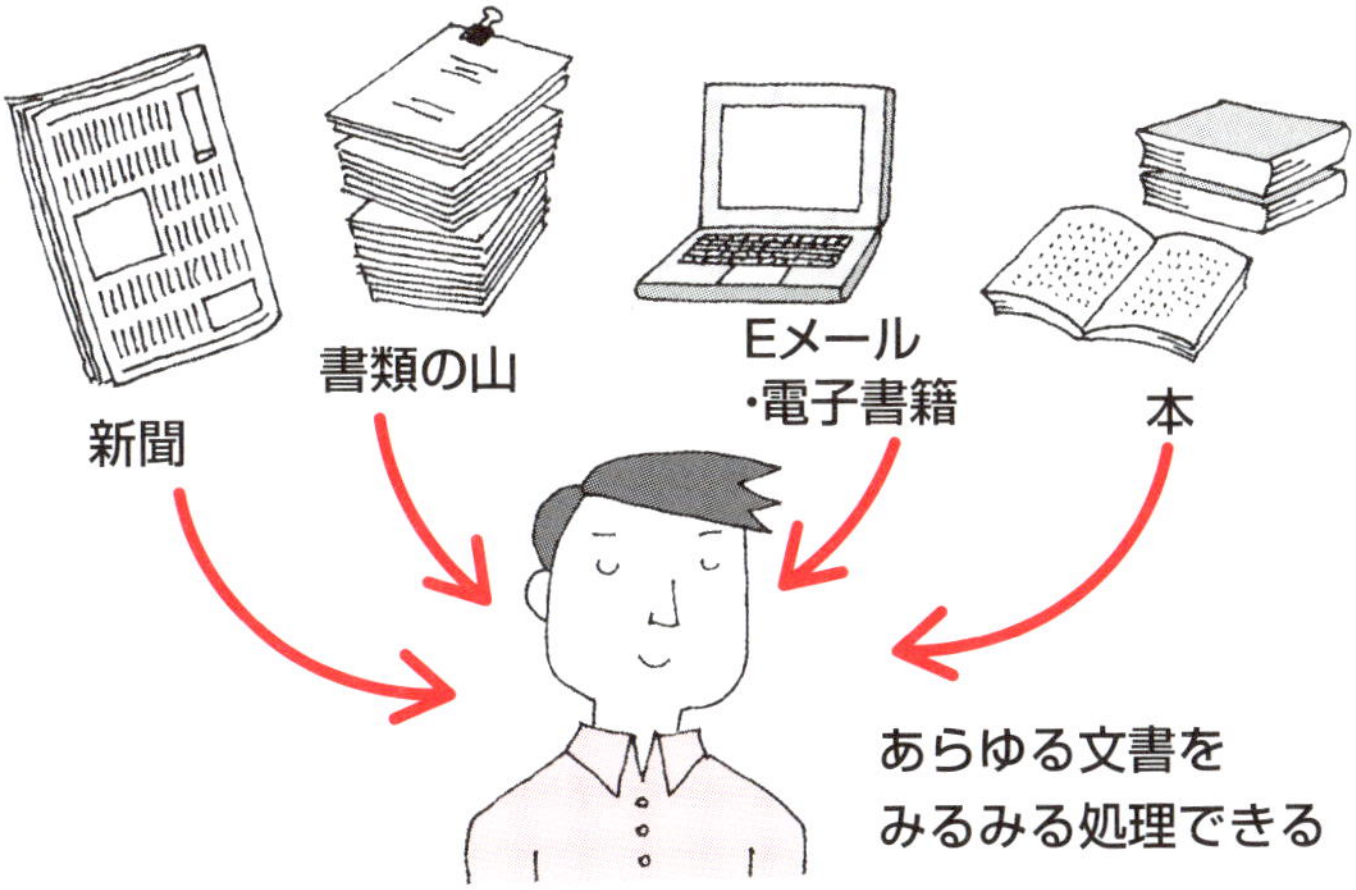

会議が効率的に

技術が上達

試験勉強がはかどる

第2部

あなたにも簡単にできる！フォトリーディングの５つのステップ

それではさっそく
「フォトリーディング・ホール・マインド・システム」を使った
文書の読み方について見ていきましょう。
けして難しいことではありません。
本書に書かれたステップを
順番どおりに踏んでいくだけで、
あなたにも**簡単に**
フォトリーディングをマスター
することができます。
一部のステップを使うだけでも
大きな効果が期待できます。

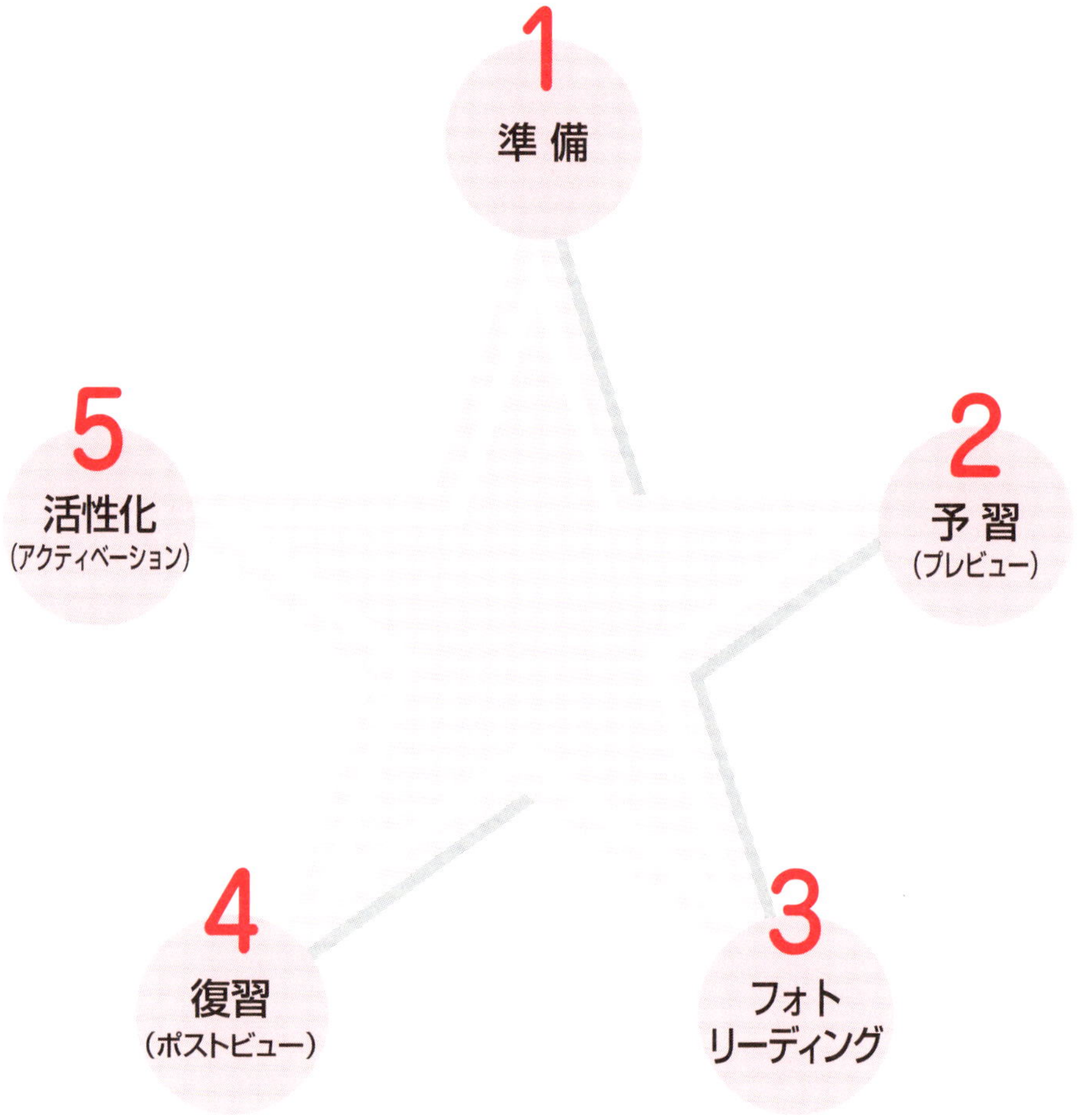

**この簡単な５つのステップを踏むことで、
あなたも「脳に備わる能力を全開にした」
情報処理ができるのです！**

Step 1 準備

STEP 1 準備

「目的設定」

まずは読む目的を決める

本を読む目的を設定し、意識を1点に集中させ、読書のための理想的な状態に入ろう

●目的を明確にすることで、脳は効率よく働き始める

効果的な読書は、明確な「目的」を持つことから始まります。「この本（文書）を読むことで、自分が何を得たいのか」を具体的にするのです。

たとえば、要点だけを簡単に把握したいのか、自分が抱えている問題に対する解決策を探したいのか、仕事を完成させるのに参考となるアイディアがほしいのか、といったことです。

これは、本屋で本を買うときに「何の目的でその本を買うのか」ということに似ています。求める結果を生み出すように無意識部分を導く、レーダーのような働きなのです。

どんな読書も最終的には何らかの役に立つでしょうが、目的をはっきり設定することで、それを達成する確率は格段に上がります。目的こそ、フォトリーディングのエンジンです。

まず、目的の明確化のために、自分に次のような質問をします。

①「その文書を読んだ結果、最終的にどうなりたいのか？」
②「その文書は自分にとってどのくらい重要か？」
③「どのくらい詳しい情報が必要なのか？」
④「目的を達成するために、いまどれぐらい時間をかけることができるのか？」

このように自分に質問することで、あなたの目的は明確なものになります。

目的を持つことで「本は1冊全部読まなければならない」というプレッシャーからも解放されます。

読む必要のない部分を無視しても、罪悪感を抱くことがありません。むしろ「もっと重要なものを読む時間ができた」と考えるようにするのです。

目的をはっきりさせると、脳は効率よく働き始めます。

目的を設定するにあたって、たとえば「私は○○のため、必要な○○について情報を得たい」と具体的に紙に書き出すとより効果的です。

この本（文書）を読む目的

これを読むことで…

Q 最終的にどうなりたいの？
Q 自分にとって どれくらい重要？
Q （内容を）どれくらい 詳しく知りたい？
Q どれくらいの時間をかける？

**目的を明確にすれば
「全部読まなければいけない」という使命感や
全部読まないことの罪悪感もなくなります。**

STEP 1 準備

「集中学習モード」
超簡単に集中力を高める方法

リラックスしながらも集中した状態に入るための「ミカン集中法」。日常生活の様々な場面でも使える

●「集中学習モード」に入る

読書力は、心理状態に大きく左右されます。「リラックスしながらも、集中できる」という理想的な心の状態、「集中学習モード」に入ると、読書や学習はとても効率的に行なえます。この状態にすばやく、しかも簡単に入る方法が「ミカン集中法」です。

このミカン集中法では、注意をどの点に固定するかが重要なポイントになります。文書を読む際に、注意を固定する理想的な位置は、ちょうど後頭部の上（空中）あたりです。ここにミカンを置いたつもりになって意識を集中することで、あなたの脳が読書に最適な状態になるのです。

ミカン集中法のやり方は次のとおりです。

①目を閉じて、イスに深く腰掛け、肩の力を抜いて、背筋を楽に伸ばします。両足は床に着け、深呼吸をします。

②次に、手のひらにミカンを持っていることを想像してください。ミカンの重さ、色、手触り、香りを感じましょう。しばらくお手玉のように両手を行き来させてもいいでしょう。

③そのミカンを手に持ったまま、後頭部の上に乗せます。乗せる位置は頭の後方15～20㎝ぐらいのところです。そこにミカンを置いたら、手を下ろし、肩をリラックスさせ、目元や口元を少しゆるめ、かすかな笑みを浮かべてみましょう。

④後頭部の上のほうにあるミカンのバランスを取ります。

⑤目を閉じたままで、あなたの視野が広がっていくのを感じます。その後、静かに目を開けて、リラックスした集中状態を保ちながら、文章を読み始めます。

初めのうちは意識してミカンを後頭部の上に置くイメージをしますが、やがてフォトリーディングをしようとすると、自然にその位置に意識が固定されるようになります。

ここでいうリラックスとは、居眠りをするような状態ではなく、心が落ち着き、周囲の小さな変化に気づきやすくなる状態です。自分の能力を信じ、脳全体の力を活用できるベストな状態です。この状態は、瞑想《めいそう》や祈りといった、無我の境地に通じるものです。あなたが、生まれながら備わる能力を、最大限に使うことができる状態なのです。

ミカン集中法とは

手のひらにミカンが乗っているのをイメージする（形、色、香りなどを想像してみる）

↓

そのミカンを後頭部から15〜20cmくらい後方の空中に置いてみる

↓

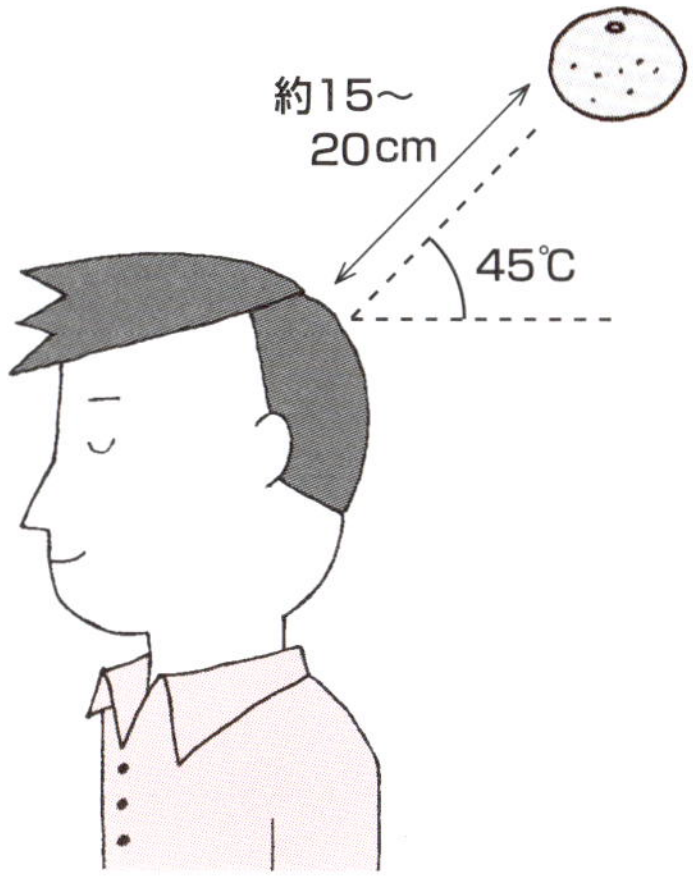

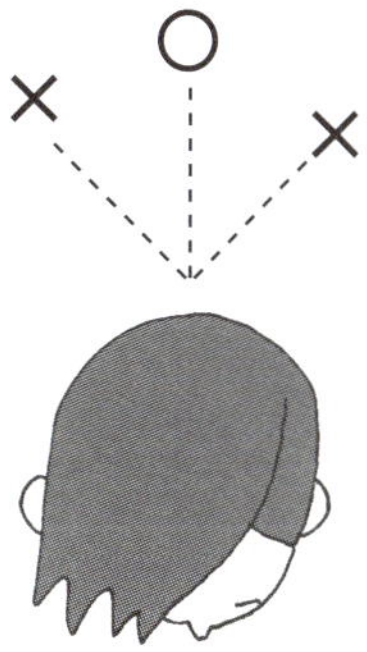

上から見た図

目元や口元を少しゆるめて、かすかな笑みを浮かべ、リラックスする

あなたの視野が広がっていくのを感じましょう

Step1

「準備」に関するQ＆A

Q ミカン集中法をしても、「集中している実感」がないのですが。

A

最初のうちは、ミカン集中法を気持ちを楽にして行うこと自体に重点を置いてみましょう。

初めのうちは意識して行いますが、やがてそれが条件反射的にでき、視界が広がり、明るくなったような感覚が生じてきます。すると次第に、リラックスした集中状態にすばやく簡単に入ることができるようになります。そして、気持ちが落ち着き、自然に集中力が高まります。

Q ミカンを思い浮かべることができません。

A

ミカンはあくまでも集中するための注意の固定点をイメージしやすくするためのものです。ミカンのイメージがあなたに合わなければ、他の方法で後頭部の上に注意を持っていきます。たとえば、麦わら帽子をかぶったつもりになり、そのてっぺんに１羽の鳥がとまっていることを想像してもいいでしょう。他には、ミカンの位置で鈴が鳴るイメージをしたり、実際に指を鳴らしてみてもいいでしょう。また、ミカンの位置をモヤモヤと感じるだけでもかまいません。

Q 目的を設定することができないのですが、どうしたらいいのでしょうか？

A

次のような質問をしてみるといいと思います。

「私はこの文書を読むことで最終的に何をしたいのか？」

「この文書は私にとってどれだけ重要なのか？」

「私はどの程度の詳細を必要としているのか？」

あなたがその本を読もうと思った理由は何でしょうか？

単なる時間つぶしや、楽しみのためかもしれませんね。

また、初めの目的は一時的なものですから、あとで変わってもかまいません。

目的の設定は、楽な気持ちで行ってみてください。

Step2 予　習

STEP 2
予習

「ざっと見渡す」読書にも「近道」がある！

「予習」は文書のパターンを知る一番の近道。まず文書全体がどうなっているのかを最初に把握しよう

●まずは全体を見てしまう

私たちの脳は、なじみのあるパターンしか理解できません。だから、これから読もうとする文書についても、事前に知っていることが多いほど、脳がなじんで理解しやすくなります。

事前に知識を得る近道、それが「予習」です。

予習では「ざっと見渡す」「査定する」「決定する」を行います。具体的には、次のようなステップを踏みます。

◆読みたい文書は何について書かれたものであるのか、おおまかに把握する。

◆目的に沿った価値があるか検討する。

◆読み進めるべきか、それとももう読まないかを判断する。

予習では、全体に目を通す、つまり「本をざっと見渡す」ということです。これによって文書の構成がわかり、どのように読み進めればよいのかが見えてきます。

では、書籍を例にとって、本の構成をつかむためのポイントを次にあげてみます。

◇本のタイトルやサブタイトル

◇表紙および裏表紙に書かれた文章

◇目次・索引

◇パラパラとめくってもいいでしょう

雑誌などの記事やレポートの場合も、同じようにタイトルや見出し、小見出し、太字、アンダーライン、傍点部分などを読みます。最初と最後の段落を読むのもいいでしょう。

●予習は1分でOK

予習に時間をかける必要はありません。あまり時間をかけないことがポイントです。本の場合、1分くらいでしょう。予習に時間をかけすぎると、次のステップのフォトリーディングの効果が弱まってしまいます。

予習による文書の全体像を把握する利点には、記憶力を助けるという働きが生まれるということがあります。予習することで、あとで読んだ内容が整理され、その構成を頭の中で組み立てやすくなるのです。自分が積極的に組み立てた内容は、たとえどんな内容でも、長く記憶することができます。

予習の目的

①「ざっと見渡す」…構成をつかむ
②「査定する」…自分の目的に見合っているか？
③「決定する」…次のステップに進むか？

ココを確認！

- タイトル・サブタイトル
- 目次・索引
- 表紙や裏表紙にある文章

予習に使う時間は１分でOK！

STEP 2 予習

「『査定』して『決定』する」その本は、本当に読む必要があるのか？

予習の最終ステップは、その文書があなたの目的に見合ったものであるかを見極めること

●あなたにとってその本は必要か？

予習を終えた後に、その結果を踏まえたうえで、改めて読んだ本（文書）について振り返ってみましょう。

その本を「査定」し、自分がこの先どうするかを「決定」する時間です。

「査定」とは「その本が自分の目的に見合った価値のあるものか」ということを見極める作業です。

「決定」とは、次のステップに進むかどうかを決める、ということです。当然「ここでやめる」という決定も、アリです。

査定する際は、自分に次のような質問をしてみましょう。

「自分の目的に関わる情報はあるか？」

「この文書は、このまま読み進むだけの価値があるのか？」

「読み続けることで、当初の目的は達成できそうか？」

「目的自体を設定し直す必要はないか？」

これらの質問に「イエス」と答えられるならば、あなたは「次のステップに進む」という決定をすればいいのです。

●「もう読まない」も賢い決定

査定の結果、あなたは次のような決定をするでしょう。

①次のステップに進む

②読む目的を変える

③読む本を変える

自分の目的に照らし合わせて査定したときに「読む価値がない」と判断するかもしれませんね。そうなれば「読む本を変える」という決定をすればいいのです。無理にその本に最後までつき合う必要はありません。

それは、情報過多の社会においては、賢い決定といえます。必要ない情報を入手する手間が省け、時間のロスがなくなります。

あなたには、読書の他にもやることがたくさんありますよね。時間は、そのためにとっておきましょう。

ここで査定して、決定する！

このまま読み進める価値があるか?
もっと詳しく知りたいか?
自分の目的は達成できるか?
目的自体を設定し直す必要はないか?

査定の結果…

読む本を変える

目的を変える

続行！

「もう読まない!」も賢い決定!
あなたには他にもやることがたくさんあるのだから…

Step 2

「予習」に関するQ＆A

Q 予習にどうしても時間がかかってしまいます。本の内容を知ろうとして、つい読み込んでいるのではないでしょうか。

A 予習は短い時間で本をざっと見て、本の構成や「何が書かれている本なのか」を大まかに把握して、自分の読む目的に適った本なのかを判別し、読み進めるかどうかを決定できればいいのです。ときには予習でその本を読む必要がないと判断できるかもしれません。それはそれで、別の本を読む時間や別のことをする時間ができた、と考えましょう。

Q 本を読み進めるかどうかを、短い時間でどのように決定するのでしょうか。

A まず自分に「どうしてその本を手にしたのか」を問いかけてください。その目的に沿ったテーマで、その本の目次やパラパラと本の中身を見ることで興味や関心が増しましたか？　気になる箇所や言葉はありましたか？　もう少し時間をかけて読んでみたいでしょうか？　このような自分の気持ちや感情を指標に考えてみてください。

Step3

フォトリーディング

STEP 3 フォトリーディング

「フォトリーディングの進行プロセス」

これが驚異の読書法だ！

生まれながら無意識に行っている、脳のデータ処理能力を活用する

●脳に備わった能力を活用する

フォトリーディングは文書内容を短時間で処理する際の、重要なステップです。「イメージで情報を処理する」という、本来脳に備わった能力を活用する独自の読書法です。

フォトリーディングした文書は、最初は内容を記憶していないように思えても、あなたの脳に情報として残り、後になじみを感じるようになるのです。

では、フォトリーディングのプロセスを解説します。

①フォトリーディングの準備ー自分の目的を明確にする

あなたが得たい情報は何か？　なぜこの文書を読む必要があるのか？　もう一度、目的をはっきりさせましょう。

②加速学習モードに入る

深呼吸して「3、2、1」とカウントダウンしながら、頭の先からつま先まで緊張を解き放ち、リラックスします。まず、「3」で、体をリラックスさせ、「2」で、気持ちをリラックスさせます。そして「1」で花や植物、美しい庭園を見ているイメージを思い浮かべます。

③始めのアファメーション

プラス思考の暗示（アファメーション）を唱えます。これで集中力が持続し、文書の内容を取り込みやすくなります。

④フォトフォーカス

ミカン集中法をして視野を広げ、目を開けてフォトフォーカスの状態をつくります。

⑤チャントを唱える

理想的な心の状態を安定させるために、単調な短いフレーズを唱えてページをめくっていきます。

⑥終わりのアファメーション

脳の中に情報が取り込まれ処理されるよう暗示をかけます。

フォトリーディングの特徴は、無意識に本の情報を処理させることにあります。最初は「こんなことで効果があるのか」と疑念を抱く人も多いかもしれません。しかし、無意識に接した文字情報は私たちの脳に影響として残っています。

ここでの目的は内容を理解することではなく、あとで必要な情報を取り出しやすくするステップなのです。

フォトリーディングの進行プロセス

① 準備

↓

② 加速学習モード

↓

③ 始めのアファメーション
＆ミカン集中法

↓

④ フォトフォーカス

↓

⑤ 安定した状態を保つ
（チャントを唱える）

↓

⑥ 終わりのアファメーション

「始めのアファメーション」
集中力をアップさせ、読書効果を最大限に

肯定的なプラス思考の暗示「アファメーション」で、フォトリーディングの効果を最大限にしよう

●プラス思考で心に語りかける

フォトリーディングする際、気持ちの持ち方が学習効果に大きな影響を与えます。プラス思考は学習を助けますが、マイナス思考は学習の妨げとなります。「アファメーション（肯定的自己暗示）」で簡単にプラス思考に変えましょう。

世界的なスポーツ選手が試合前に、アファメーションを行うという話をご存じでしょう。これはスポーツに限らず、読書も同じです。アファメーションを行うことで、目的が明確になると同時に、集中力が持続し、内容を活性化し、文書を無意識領域のデータベースに効率的に送り込めます。

では実際に使われているフレーズをご紹介します。

「フォトリーディングの最中、私は完全に集中している」
「私がフォトリーディングする情報は、私の脳に写し取られ、私はそれを利用できる」
「私は、自分の目的を達成するために、この本（題名を言う）の中の情報を得たい」

このように言い聞かせることで、脳の働きに方向性を与え、意識でつくられた限界を飛び越え、否定的な対話を消し去ります。その結果、成功の可能性を開いていくのです。

●達成できる目的を設定する

アファメーションをするときは「集中」「影響」「目的」に関しては、言うようにしましょう。

目的を設定する際には、それがあなた自身にとって達成可能なものであることが大切です。たとえば、「フォトリーディングしたものをそっくりそのまますべて思い出せるようにしたい」などという目的は妥当ではありません。

読んだ内容をすべてイメージとして取り出すのがフォトリーディングの目的ではありませんし、すべて完全に思い出すことが本を理解する上で最も効果的なわけでもありません。

「○○についての内容をしっかりと吸収し、そのテクニックを実生活ですぐに活用できるようになること」といった、前向きで実現可能な目的にしましょう。

フォトリーディングを始める前のアファメーション

「フォトリーディングの最中、
私は完全に集中している」

「私がフォトリーディングする情報は、
私の脳に写し取られ、私はそれを
利用できる」

「私は、自分の目的を達成するために、
この○○（本の題名）からの情報を得たい」

「フォトフォーカス」

写真や絵を眺めるようにページ全体を見る

「フォトフォーカス」で、文書を「文字」ではなく「イメージ情報」として脳に取り込もう

●脳のデータベースに直接情報を送り込む見かた

フォトフォーカスとは、一つひとつの文字に焦点を合わせるのではなく、視野を広げて一度にページ全体を眺める方法です。周辺視野を使って、見開きページ全体を「写真を撮るように」一度に脳に写し取り、目で取り込んだ情報が意識に上がる前に処理して、それを脳の巨大なデータベース領域へと直接送り込むのです。

●文章を読まずにページ全体を視界に入れる

壁に1ヵ所見つめる場所を定め、その1点を見つめながら両手を目から約40～50㎝の距離にもっていきます。そして、人差し指の先を合わせ、合わせた指越しに壁の1点を見つめていると、両手の指先の間に、第3の指が見えてくるでしょう。その第3の指がちょうどソーセージのように見えることから、「ソーセージ効果」と名付けられました。

この現象は、一つのものに焦点を絞っているのではなく、視線を拡散させて使っていることを示しています。このとき、あなたの視界は柔軟になり、周辺視野が広がっています。

これと同じ効果を本のページで応用してみましょう。まず、フォトフォーカスを行う前に、ミカン集中法で集中します。そして、次のいくつかの要領で試してみましょう。

◆本のとじ目を突き通して向こうを見るようにする。
◆四隅すべてを同時に意識して視野に入れる。
◆行間の余白に注意を向ける。
◆本の四隅を結ぶ「X」のイメージを思い浮かべる。

大切なのは、ページの四隅が同時に視界に入るようにし、文字ではなく、余白や、段落の間の空白部分に意識を向けます。目をリラックスさせページの中央部を眺めます。

視線が拡散しているため、左右のページ間のとじ部分がだぶって見えます。やがてそこに、1本の丸まった筒状の、かまぼこのような「第3」のページが現れてくるでしょう。これを「ブリップページ」と呼びます。初めは見えないかもしれませんが影響ありません。ポイントは、文章を読まずにページ全体を視界に入れること。あせらず、リラックスして、遊び感覚で試してみてください。

フォトフォーカスを練習してみよう

方法その1

本のとじ目を突き通して
向こうを見る

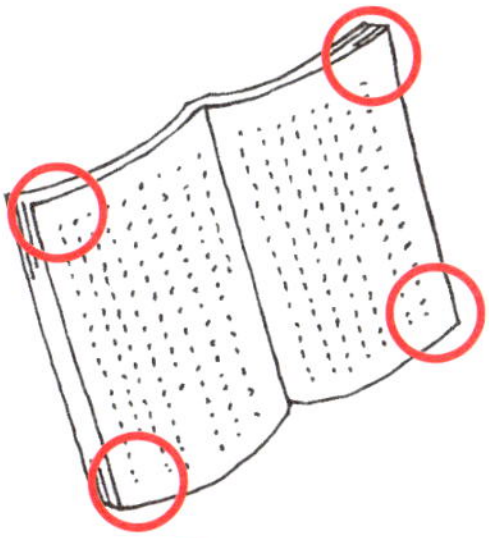

方法その2

四隅すべてに
同時に注目する

方法その3

行間の白い部分に
注目する

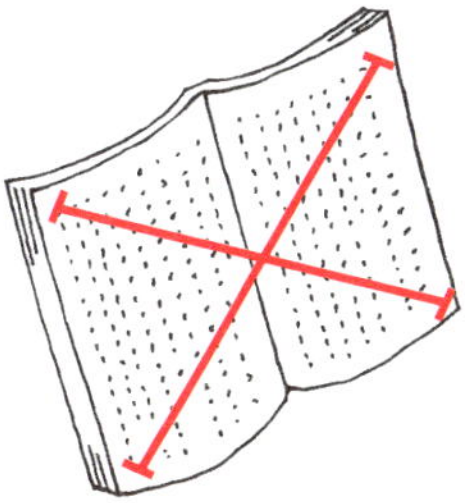

方法その4

本の上に「X」を
思い浮かべる

方法その5

本の先のどこか1点に
焦点を合わせる

まずは「ソーセージ効果」を
試してみよう

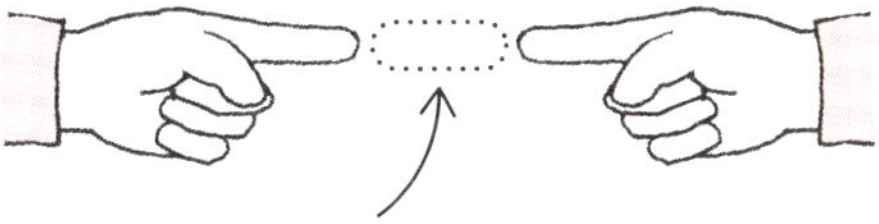

ソーセージのように見える

視線が拡散すると
ブリップページが見えてくる

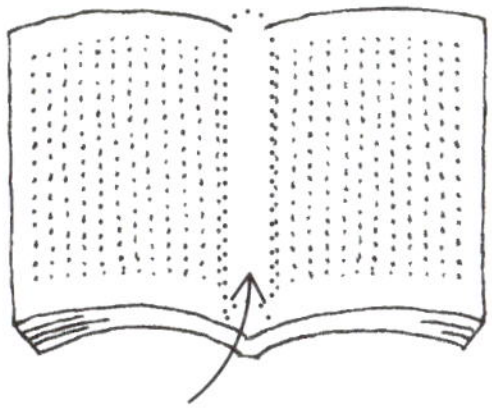

ブリップページ

「フォトリーディング」

さぁ、ページを脳に写し取ろう！

アファメーションをしたら、いよいよ視線をフォトフォーカスにしてフォトリーディングを始めよう

一定のリズムで「チャント」を唱える

フォトリーディング中の状態を維持するためのコツが、二つあります。

一つは、呼吸を深くして、一定のペースを保つこと。

そしてもう一つは、ページをめくるリズムに合わせて、心の中で、単調な言葉を繰り返すということです。ページをめくるのに合わせて、心の中で前向きな言葉（チャント）を唱えながら、リズムをとります。そうすることで精神を集中させて、否定的な考えが入り込むのを防ぐことができるのです。

では、実際にフォトリーディングをやってみましょう。

①背筋を楽に伸ばしてイスに座ります。腕や脚は組まずに、脚は両足の裏を床に着けます。視線と90度の角度を保つよう文書を持ちます。あごはわずかに手前へ引き、背筋を伸ばします。こうすればエネルギーが脳にうまく流れ込み、読書力が向上します。

②深く、規則的なペースで呼吸します。肩や顔の力を抜き、目元と口元の筋肉をゆるめ、リラックス状態に入りましょう。

③1ページ1秒の一定のペースで、ページをめくります。見開きの2ページをフォトフォーカスで同時に見ます。

本の中心部にあるブリップページを見るのが理想ですが、ブリップページが見えない場合は、本の四隅と余白部分を意識しながら、四隅を結ぶXの文字を想像します。

④左図のようなチャントを心の中で繰り返し、音節ごとに1ページをめくるといいでしょう。唱える言葉は変えてもかまいません。「（本の内容が）入ってる、入ってる」「できてる、できてる」というのもいいでしょう。

ページを飛ばしてしまっても気にせずめくり続けてください。もう一度目を通すときにそのページを見ればいいのです。

意識をチャントの言葉に向けることで、集中の邪魔になる雑念を押さえます。もし、雑念が浮かんできたら、意識を静かに手元の作業に戻して雑念を手放し、もう一度、心の中でチャントを唱えながらページをめくっていきます。

リズミカルにページをめくろう

チャントを心の中で唱えると集中でき、効果が高まる！

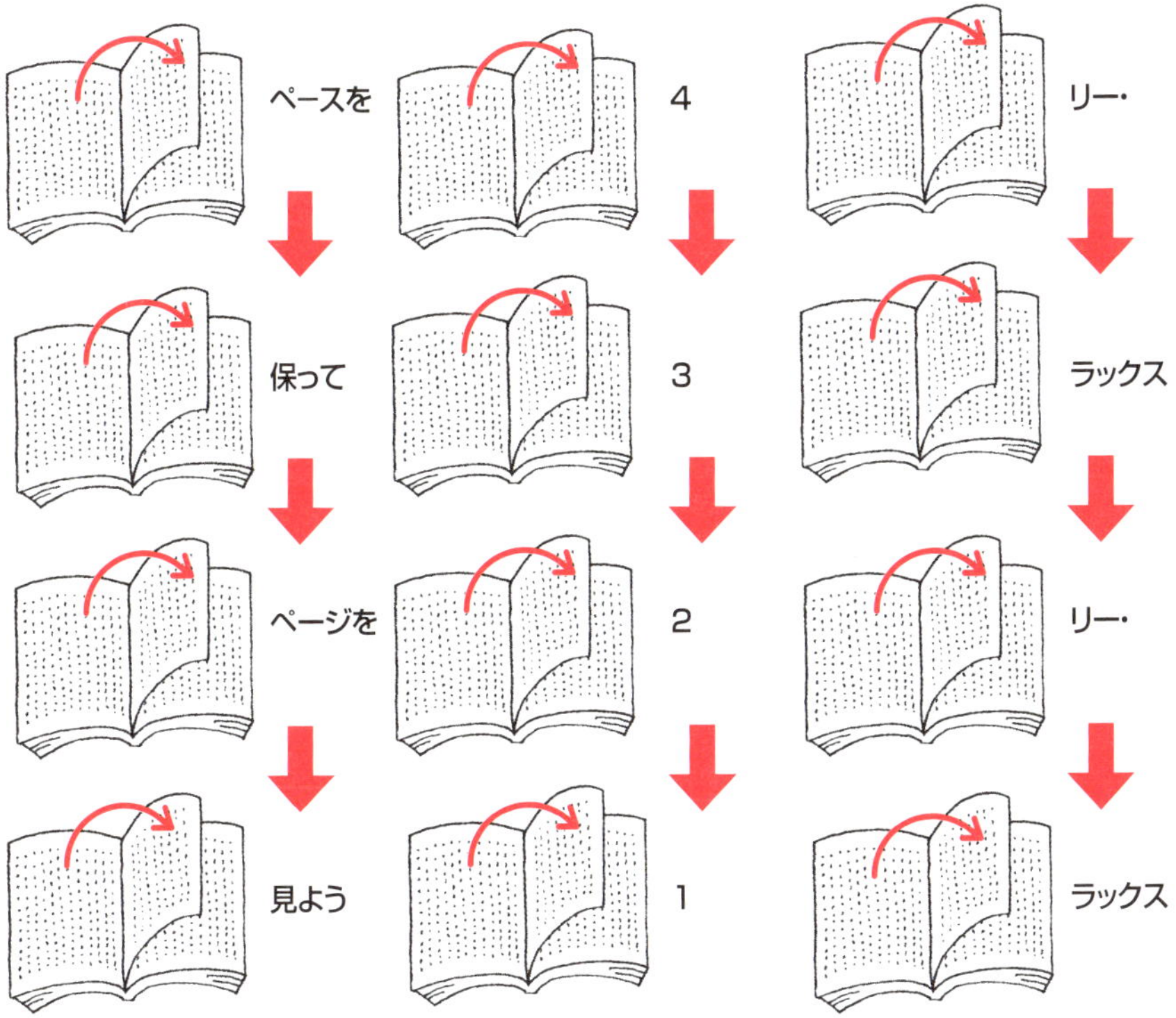

1秒間に1ページ、見開き2秒のペースでページをめくって見開き（2ページ分）をフォトフォーカスで見ていきます

「終わりのアファメーション」

取り込んだ情報にフタをする

「フォトリーディングで情報が脳にインプットされた」と自信を持って認めよう

●最後にしっかりと自分に言い聞かせる

フォトリーディングを行なった文書が心にしっかりとイメージとして取り込まれたことを信じて、終わりにします。

初めのうちは「こんなことで効果があるのか？」という疑念が湧《わ》いてくるかもしれません。それはごく自然な「意識」の反応です。なぜなら、いままでと違うことをした場合は、必ず意識がストップをかけてくるからです。

ここで大事なことは、意識上では何もわからないからといって、無意識下でも何も得られていないと考えないことです。否定的な考え方をすると、マイナスの自己暗示がかかり、本当に否定的なことが起こってしまいます。つまり、せっかくのフォトリーディングの効果も失われてしまうのです。

フォトリーディングは、脳の神経ネットワークに直接、情報を落としこみます。入手した情報は、意識で認知される前に即座に処理されます。取り込んだ情報を後で引き出すためには、はっきりとした意図を持ってフォトリーディングを終了し、取り込んだ情報をまとめ上げるように、脳に命令するのです。終了のアファメーションはその作業なのです。

具体的には左図のような言葉を使いましょう。自分に都合のいい内容や、好きな肯定的な表現に変更したり、それらを自由に並べ替えたりしてもかまいません。

●すぐに内容を思い出そうとしないこと

フォトリーディングでは、インプットした文書の内容をすぐに思い出さないことが大事です。脳が取り込んだイメージを処理するために、情報を熟成させる時間が必要だからです。

すぐに思い出そうとすると、神経ネットワークに組み込まれる前の空っぽの意識の記憶ファイルを探すように、脳に強要することになってしまいます。アファメーションは、無意識に働きかけて、その反応を促進させる効果があります。

フォトリーディングした内容が様々な形で引き出せるなんて、考えただけでもワクワクしませんか？　リラックスするほど、無意識から意識の中に流れ込んでくるものに、より簡単に気づくことができるでしょう。

終わりのアファメーション

「私はいま、この本の印象を
感じ取っています」

「私はこの情報を手放し、
私の体と心に処理を任せます」

「私はこの情報を後で取り出して
利用できるのを、様々な方法で
どれぐらい実感できるか楽しみです」

Step3

「フォトリーディング」に関するQ＆A

Q ブリップページが見れません。どうしたらいいのでしょうか？

A ブリップページは必ずしも見える必要はありません。ブリップページが見えなくても、フォトリーディングをできる人は大勢いらっしゃいます。人によっては、左右の視力の差が大きく違う場合に、ブリップページが見えないこともあります。
見開きのページ全体が視界に入っているフォトフォーカス状態になっていれば、大丈夫です。

Q アファメーションを覚えることができません。覚える必要がありますか？

A アファメーションは、あなたが記憶できるようにあなたに合った形に変えてもらって結構です。その際には、学習効果を上げるためにも、建設的で前向きな言葉を使い、「私は」あるいは「私が」で始まる現在形もしくは現在進行形の言葉でつくってください。

Q ステップ3のフォトリーディングでは、情報が頭に入った実感がありません。また、理解もできていません。それでいいのでしょうか。

A それで結構です。ステップ3のフォトリーディングでは、直接、無意識的な領域へ文字情報をイメージとして取り込んでいますので、活字を認識して実感として感じる意識上での感覚はありません。よって、意識上では、ほとんど何も理解していないのが正しい状態です。

Step4 復　習
（ポストビュー）

「復習のプロセス」

脳を「情報に飢えた状態」にして好奇心を高める

文書をじっくり読まないことが、モチベーションと脳の活性化を促す

●活性化の準備をする

復習（ポストビュー）の目的は、フォトリーディングで取り込んだ文書の全体構成を把握して、パターン認識を行い、活性化への準備をすることにあります。

ではここで、具体的に復習のプロセスを見ていきましょう。

①調査する

まず、文書をざっと眺めて、全体の構成を把握し、要点を理解します。

②トリガーワードを取り出す

次に、文書から気になるキーワードを探します。これが活性化の引き金になる言葉（トリガーワード）となります。文書の詳細をもっと知りたい、というきっかけとなる言葉です。

探し出したトリガーワードは紙に書き出します。もし書籍ならば、20ページおきくらいに本をざっとめくって、さっと見渡し、気になった言葉を20～25個くらい書き出します。

③質問をつくる

②で取り出したトリガーワードを参考にしたりして、より自分の目的に沿った質問をつくります。

そして最後にもう一度、文書全体を見て興味ある箇所や文書から得たい情報があれば、それに対する質問をつくります。

ここまで、8～12分を目安に行います。

ここで注意してほしいのは、質問の答えを見つけようとして文書を熟読しない、ということです。「もっと読みたい」という気持ちをおさえることで、文書の内容に対する好奇心を高め、さらに質問に対する答えを求めようとする気持ちが高まることになるのです。

これは同時に、あなたのモチベーションを高めるだけでなく、脳が神経回路をつなぐのを促進してくれるのです。

●フォトリーディング後すぐに復習を

活性化に弾みをつけるためには、フォトリーディングが終わってすぐに復習を行うと効果的です。復習の最大の利点は「情報に飢えた状態」をつくり出すことです。これによって読書に積極的になり、脳全体が目的達成のために動きます。

終わりの
アファメーション

フォトリーディングの
ステップが終わったら
すぐに…

復習を行います

調査

文書全体をながめて
構成を把握

トリガーワード

トリガーワードを探して
紙に書く

質問づくり

もう一度全体を把握して
質問をつくる

熟読してはダメ！
（読みたい気持ちをおさえて
好奇心を高める）

STEP 4 復習

「トリガーワード」

情報が圧縮された言葉「トリガーワード」を探す

著者のメッセージを強く伝える言葉「トリガーワード」をリラックスして楽しみながら探そう

●目に飛び込んでくる言葉を書き出す

文書を読んでいるとき、ある言葉がふと、目に飛び込んでくることがあります。このように、目に飛び込んでくる言葉、それがまさしく、文書の「トリガーワード」です。

トリガーワードは著者のメッセージを強く伝える言葉です。この語句をきっかけに、文書から得た情報が効率的に引き出され知識として使えるようになる、この文書のエッセンスです。

トリガーワードを見つけておくと、フォトリーディングした情報から答えを引き出すための質問をつくりやすくなります。「この言葉はどういう意味だろう」「なぜ、この文書中で使われているんだろう」という好奇心が高まると、集中力が保たれ、効率的な読書ができるのです。

トリガーワードを探すポイントは、

◇記事やレポート、ウェブページなどの文書では、全体をざっと眺めてあなたが気になる言葉を探す。

◇書籍の復習を行う際には、20ページぐらいずつめくってさっと見渡し、目につく言葉をチェックしていく。

◇記事の場合は5～10個のトリガーワードを、本の場合は20～25個のトリガーワードを目安に書き出してみる。

本の場合、2分以内で、見つけられる範囲で充分です。ノンフィクションの場合などは、多くの人が簡単にトリガーワードを見つけますが、短編や戯曲、小説、詩などのフィクションになると、なかなかトリガーワードを発見できない場合があります。一般的に、フィクションにおけるトリガーワードは、人や場所、物の名前であることが多いようです。

トリガーワードは、強調されながら何度も使われる、その本の中心的なキーワードです。本の場合、表紙、目次、見出しで繰り返し使われる言葉、索引でページ番号の数が多い言葉などが参考になります。

トリガーワードを探すにあたっては、リラックスして楽しんで行ってください。「よし、見つけてやろう！」と気を張りながらするよりは、ゲーム感覚で楽しんだほうが、簡単に見つけられます。

自分の目に飛び込んできた言葉、興味を持った言葉を探す、これがトリガーワードを見つけるポイントになります。

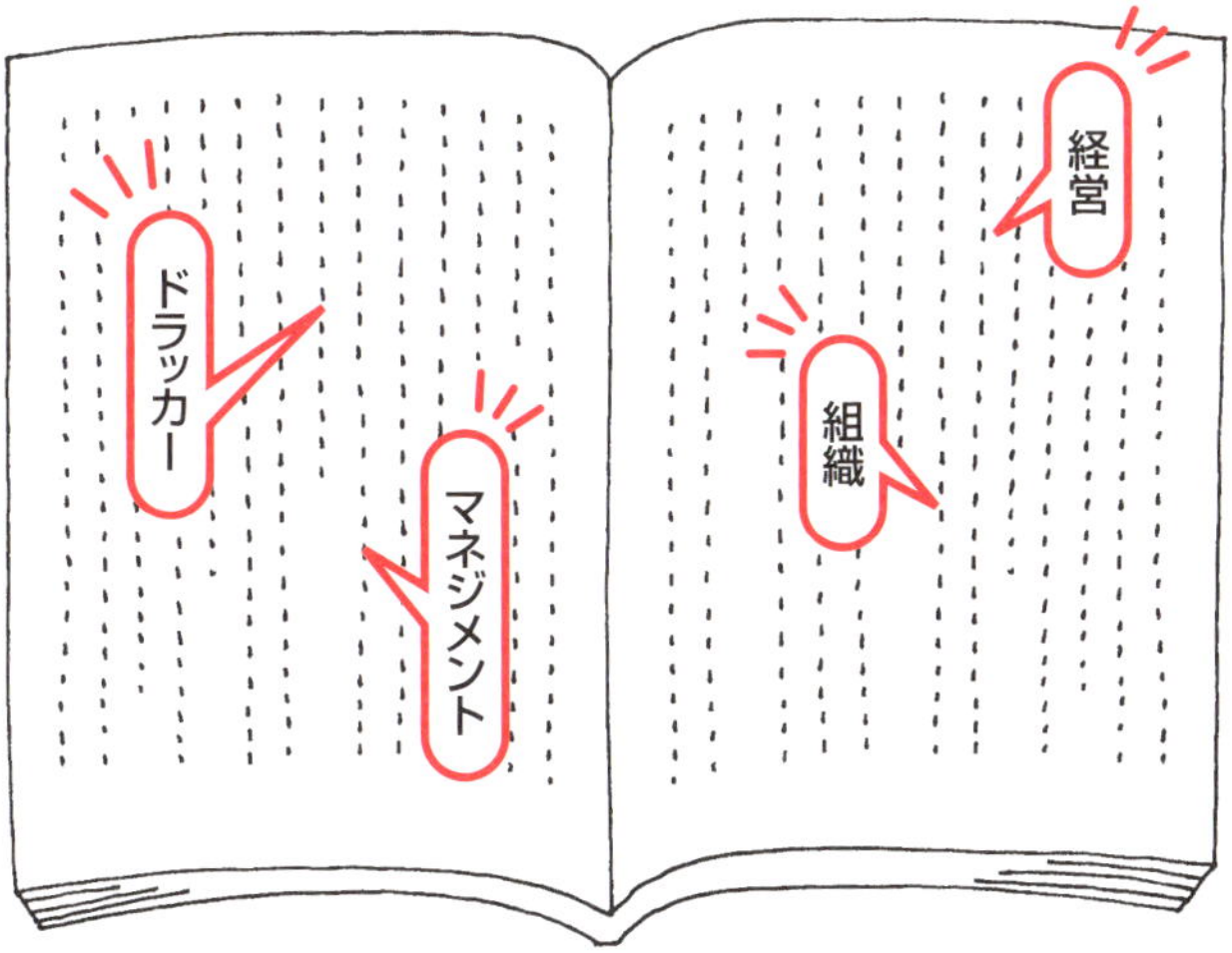

あなたの目に飛び込んでくる、興味をひく言葉…
それが「トリガーワード」です

●表紙、目次、見出しで繰り返し使われる言葉
●索引でページ番号の数が多い言葉
●強調されながら何度も使われる言葉

記事なら5～10個、本なら20～25個の
トリガーワードをノートに書き出そう

ゲーム感覚で楽しんだほうが簡単に見つけられる

**トリガーワードをきっかけに、文書から得た情報が
効率的に引き出され、知識として使えるようになる**

Step4

「復習」に関するQ＆A

Q トリガーワードが見つかりません。

A トリガーワードは、「これは何だろう？」という好奇心を刺激し、いかにも「注目してください」と言わんばかりに、目に飛び込んでくるはずです。本全体に繰り返し出てきたり、太字や「」書きで強調されている言葉がトリガーワードである可能性が高いです。目次には特に多くのトリガーワードが含まれていますので、注意して探してみましょう。索引がある本なら、参照ページの多い語句はトリガーワードである可能性が高いです。目次や索引から探してみましょう。
トリガーワードを探すには、集中学習モードに入り、視界を広くしてページ全体にサッと目を走らせます。そこで目に留まる言葉を抜き出します。どのページを開けても同じ言葉ばかり拾ってしまう場合は、少し気分を変えて「違うトリガーワードはないだろうか？」と考えてみてもいいでしょう。

Q 質問が思い浮かびません。

A 人間の脳には、「疑問があると答えをみつけようとする」という素晴らしい性質があります。フォトリーディングした情報に質問を投げかけることで、神経回路の接続を促進することができます。知りたいことを挙げて、「情報の整理箱」を頭の中につくっておきましょう。

復習の段階では「この文書についてもっと知りたい」という気持ちを高めるようにします。トリガーワードのリストを眺め、特に意味を知りたいと思う語句に絞って「トリガーワード●●とは何か？」「トリガーワード●●と○○の関係は？」といった質問をつくってみましょう。

また、本来の目的に照らした質問をつくってもいいでしょう。「私が●●を達成するために必要な情報は何か？」「この文書の中で私が知っておくべき一番重要なことは何か？」といった質問も役に立ちます。

Q フォトリーディングのあと、復習を忘れてしまいます。

A 復習は文書の内容を活性化で取り出すうえで、とても効果的なステップです。復習で目次を見たり、トリガーワードを探すことで、脳の中で情報を整理して記憶しておいたり、取り出しやすくします。時間がないときはトリガーワードだけでもリストアップしておきましょう。

Step5

活性化
（アクティベーション）

STEP 5 活性化

「活性化のプロセス」

脳に取り込んだ情報を引き出すには？

活性化とは、フォトリーディングで無意識的な領域に取り込んだ情報を、意識上に持ってくること

●活性化のプロセス

活性化は、次のようなプロセスで行います。

①フォトリーディングと復習が終了後、一度本から離れ、数分から一晩くらい脳の中で情報を熟成させる（生産的休息）。
②熟成後、再び自分の質問を見直す。
③質問への回答を「スーパーリーディング&ディッピング」または「スキタリング」で探す。
④情報を記憶したりまとめておきたい場合など、必要に応じて「マインドマップ®」を描く。

●明確な目的意識を持とう

活性化の際には、明確な目的を持って、積極的な姿勢で臨むことが大切です。「活性化」は、文書の中からあなたの目的に関わる箇所を探し出す作業です。

活性化には、意図せずに起こる「自発的な活性化」と、「意図的な活性化」の2種類あります。

「自発的な活性化」は意識的に努力せず勝手に起こる現象です。たとえば何週間も悩んでいた問題の解決策が突然ひらめく、何年も会っていない友人の名前を突然思い出す、といったことです。これは過去に取り込んだ情報が何らかのきっかけが刺激となり一気に意識上に出てくるといったものです。

しかし、ここで重要なのは「自発的な活性化」ではなく「意図的な活性化」です。

活性化の目的は無理に情報を「思い出す」ことではなく、フォトリーディングで取り込んだ文書のうち、自分が文書の何について知りたいのか、それに対する質問の答えを意図的に探し出すことなのです。活性化を行うことで、文書に対する理解力も次第に増してきます。

本の中で重要なポイントを伝える箇所は、全体の4～11％と言われています。つまり、すべて認識しなければならないわけではなく、全体の4～11％を目標にすれば充分です。

活性化に要する時間は特に決まりはありません。目安として、長めの記事やレポートならば7～10分。書籍の場合は40～60分。マインドマップ作成の作業を入れると60～90分程度を目安とすれば充分でしょう。

生産的休息

一度本から離れ、脳の中で情報を熟成させます（数分〜一晩）

↓

質問の見直し

文章への質問をつくって脳を刺激します

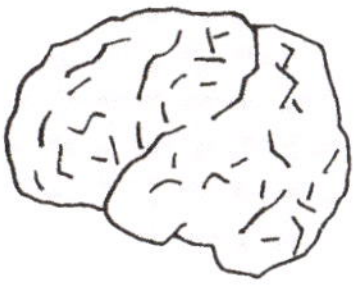

↓ ↓

スーパーリーディング&ディッピング　**スキタリング**

文章から目的に沿った部分を見つけるテクニック

↓

必要に応じてマインドマップを描く

STEP 5 活性化

「生産的休息」・「質問の見直し」

休憩している間に、脳の中の情報が熟成される

脳に質問を投げかけて好奇心を高めよう

●生産的休息で情報を熟成する

フォトリーディングと復習を終えたら、いったん作業を中断します。時間をおいて情報を温める、つまり脳で情報が熟成されるのを待つのです。「生産的休息」と呼んでいます。

休息といっても、脳が働いていないわけではありません。フォトリーディングによって取り込まれた新たな情報が、脳の中の神経回路上で既存の知識と結びつく、つまり情報が脳の神経ネットワークの中に組み込まれる時間を設けてやるのです。これにより、脳は目的や目標を達成しようとします。

生産的休息の時間は、数分から一晩とります。

●質問を見直して脳に刺激を与える

「質問の見直し」は、文書を書いた著者と話をしているかのように、著者に対して「○○を教えて」と問いかけるのがコツです。

たとえば「文書の中で重要なのはどこか（何か）?」「自分自身にとって役立つ情報は何か?」「この本や資料のどの情報が、目標達成に役立つのか?」「テストや会議でよい成績（成果）をあげるのに知るべき情報はどこか?」といったことを、著者に質問するのです。

復習のときにつくった質問を再度見直して、著者に直接尋ねるように質問を投げかけることで、フォトリーディングによって取り込まれた情報が保管されている無意識のデータベースの回路が開きやすくなり、あなたが求める情報や回答を引き出しやすくしてくれるのです。

質問を投げかけることは、好奇心を刺激します。文書への好奇心が高まり、さらに脳のデータベースに橋がかかり、理解のプロセスをスタートさせるのです。

質問を考えるときは、その回答がいかにあなたにとって重要なものかを改めて強調してください。答えを求める気持ちが高ければ高いほど、効果が出るのです。

そして「質問の見直し」をするときは、リラックスした集中状態に入り、心から「知りたい!」と思い、「答えは必ず得られるのだ」という自信を持つことが大切です。

生産的な休息
数分〜一晩

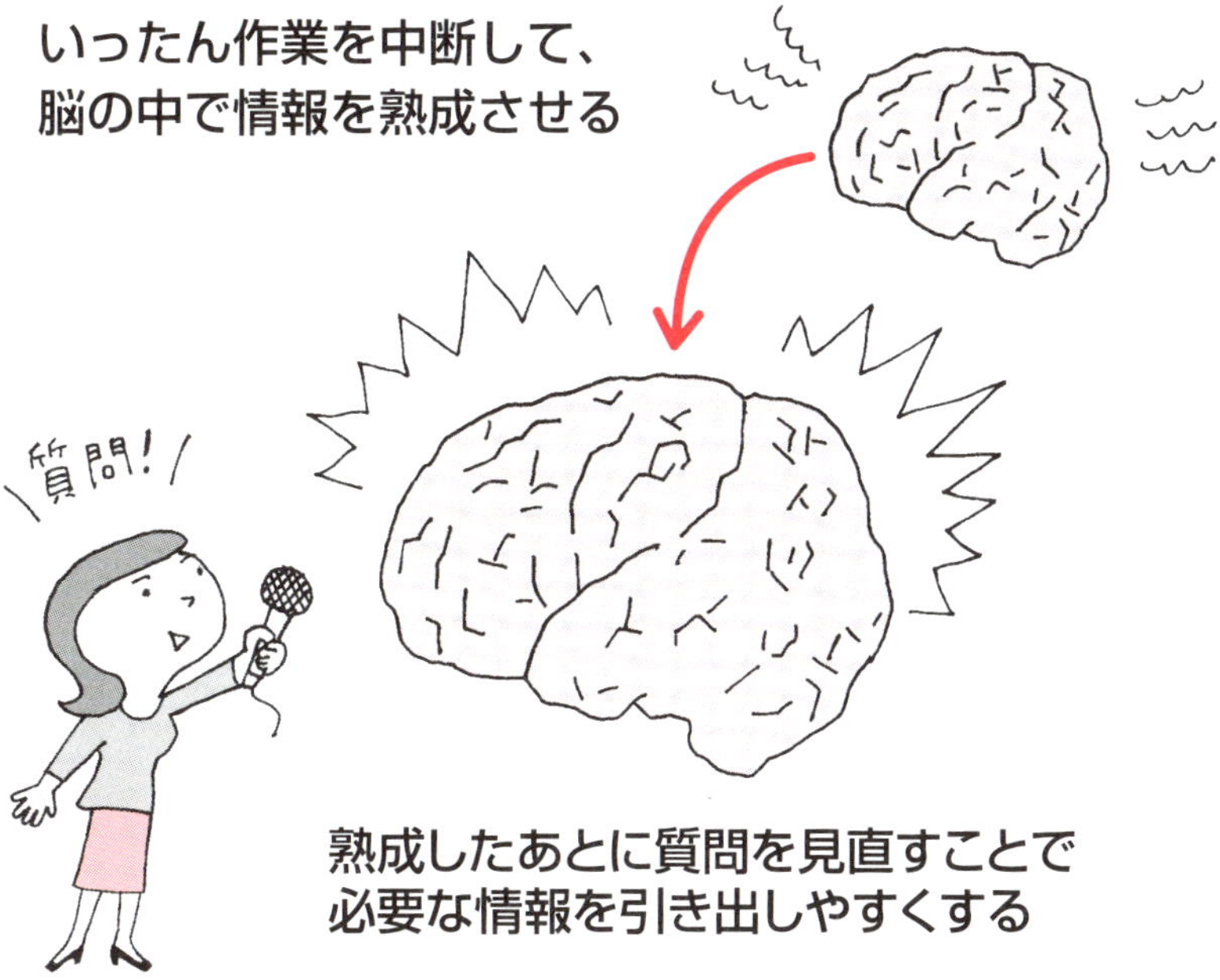
いったん作業を中断して、
脳の中で情報を熟成させる
質問！
熟成したあとに質問を見直すことで
必要な情報を引き出しやすくする

文書を書いた著者と話をしているかのように、「○○を教えて」と問いかけるのがコツ

「スーパーリーディング&ディッピング」①

スキャンして知りたい情報を探し出す

スーパーリーディング&ディッピングで、あなたに必要な情報を無意識的な領域から意識上に取り出そう

●スーパーリーディングとは

活性化によって文書から求めている答えを探し出すには、「スーパーリーディング&ディッピング」と、P68でお話しする「スキタリング」という二つの方法があります。

スーパーリーディングは、文書を大きなかたまりとしてざっと見ていきながら、求める答えが書かれた箇所を探し当てるやり方です。つまり、文書全体を上から眺めていくのです。

ここでは、あえてあなたが求めている具体的な答えを探そうとするのではなく、視野を広く保つようにします。視界の中にあるものをより多く認識しようと努めることで、視野はだんだんと広がっていきます。

たとえば、縦組みの本ならば、文章は右から左に展開されています。読むページの真ん中に視点を置き、右から左に視線を動かしていきます。視野を広くして、行全体が目に入るようにします。これがスーパーリーディングです。

スーパーリーディングで最も大切なことは「明確な目的を持つ」ことです。そうすることで、脳は目的に関連したキーワードやフレーズを探し出し、必要でない情報は無視します。

●ディッピングとは

ディッピングは、直接あなたの目的を満たす箇所を見つけ、書いてあることを理解できる程度までサーッと読むことです。

スーパーリーディングしているときにピンとくる場所があったら、それは「ここが重要だよ」と脳があなたに教えてくれる直感的なサインです。文書全体をフォトリーディングした脳は、重要な箇所をわかっているので、直感的な合図として知らせます。このサインが出たら、逆わずその周辺の1〜2文だけサッと読みます。この作業がディッピングです。

ディッピングの際は、単語の意味を追うだけではなく、思想や感覚、アイディアなどを読み取ります。あなたが打ち出した質問に関するエピソードや引用、重要な文書を見つけたら、その箇所を集中的に読むのです。

ここで注意してほしいのは、文書の1ヵ所に時間をかけないということです。書籍では多くても1〜2ページ、記事などは1〜2段落くらいがよいでしょう。

スーパーリーディング

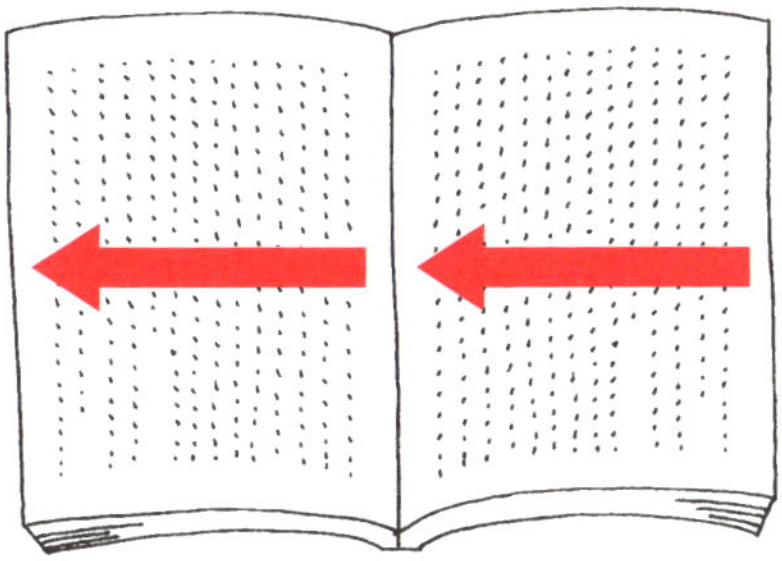

明確な目的を持ちながら
文章を流れるようにザーッと
見ていく

ディッピング

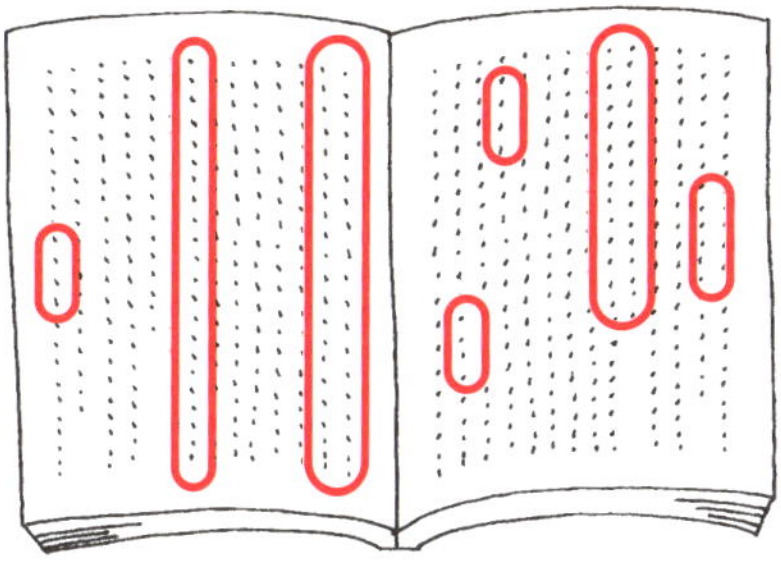

直感的に気になった箇所の
周辺を1〜2文だけサッと読む

スーパーリーディング&ディッピング

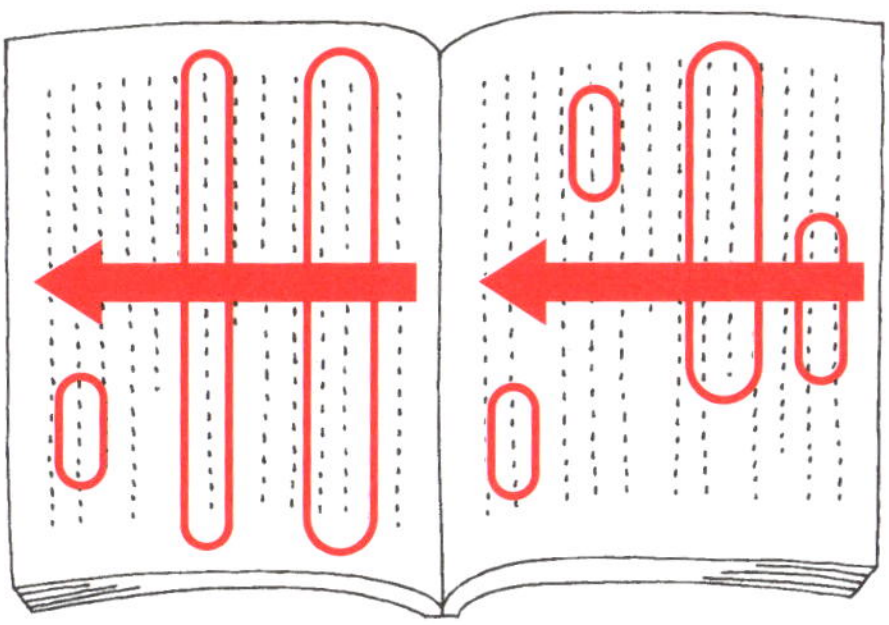

スーパーリーディング中に
気になる箇所があったら、
そこをディッピング

「スーパーリーディング&ディッピング」②
試してみよう！ スーパーリーディング&ディッピング

「著者の思考の流れ」を読みながら、気楽にリズミカルにやろう

●スーパーリーディング&ディッピングの手順

①目的を明確にし、ミカン集中法を行って「集中学習モード」に入ります。

②書籍の場合、あなたの目的や質問にしたがって興味をひかれた箇所を開きます。記事やレポートなら冒頭から始めます。

③視線をスムーズに走らせるために、指で、文書の中央をなぞっていきます。縦組みの本ならば、読み始める段落の中心部に指を置き、右から左に動かしていきます。目は、指と同時に文章の上を追うようにします。

　横組み（英文など）なら、文章の中央に指を置き、上から下に向かってページを指でなぞり、目で追っていきます。

④通常の読書のときよりはるかに速く読み進めます。一時的に文章の流れを見失っても、気にせずに読み進んでください。このとき、リラックスした状態を保つようにします。

⑤スーパーリーディングをしていると、文章中のある部分が、急にあなたの注意を引きます。そこがあなたの探している重要な箇所です。ここで直感に逆らわず、その段落もしくは文章を読みます（ディッピング）。その箇所の1文、もしくは2文程度を、何が書いてあるのか理解できる程度までサッと読むのです。

⑥ディッピングによって必要な情報が得られたと感じたら、再びスーパーリーディングに戻ります。

⑦すべて読み終えたら、目を閉じて、何を理解したか自分の言葉でまとめてみます。

　ディッピングをするときは、1回につき記事の場合は1〜2段落、本の場合は1〜2ページ以内にとどめます。

　スーパーリーディングとディッピングをより効率的に行うためには「著者の思考の流れを読む」ことが必要です。文書全体の構成について考え、その著作について著者の文章の組み立て方を把握するのです。

　この文書構成や内容に沿ってスーパーリーディングとディッピングを行うと、必要でない箇所は飛ばし、必要な箇所だけをディッピングして、より短時間で、あなたが求めている目的を達成することができるのです。

「ミカン集中法」で理想的な心の状態に入ったら…

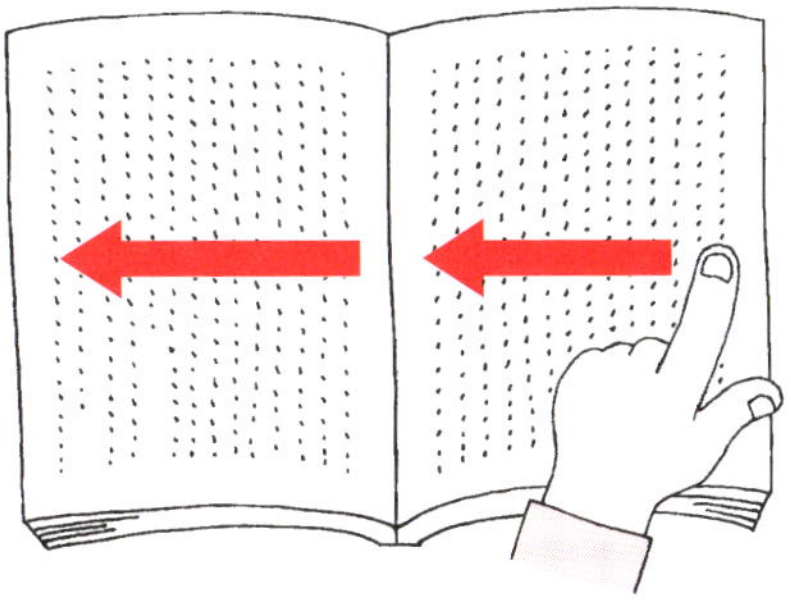

スーパーリーディング
開始

指を行の中央に置いて 左になぞっていきます（縦組みの場合）
指の動きを目で追っていきます

気になるキーワードが
出てきたら…

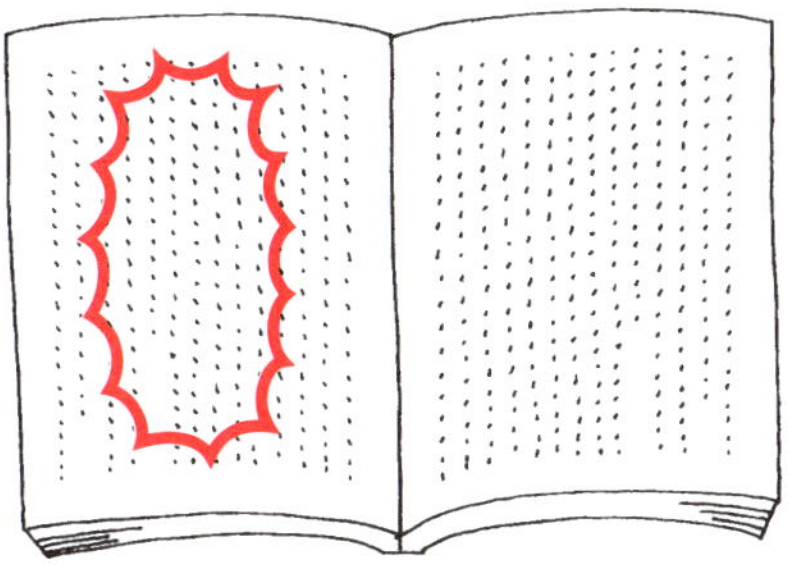

その箇所を
ディッピング

※本の場合1～2ページにとどめる

STEP 5 活性化

「スキタリング」

アメンボのようにスキタリングで情報を拾い読み！

スキタリング（アメンボのダンス）は、情報量が多い教科書のような内容のものを読むときに効果的

●すばやく不規則に目を動かす

スキタリングとは、J・マイケル・ベネット博士が考案した、言葉を「拾い読み」する方法です。

一つの文書内で本当に重要な部分は全体の4～11%にすぎません。スキタリングで、文書中の重要な単語や、文書全体をすばやく確認することができます。重要なすべての単語に目を通すので、文書の意味が把握できるだけでなく、その他の単語を読み飛ばしても、ストレスを感じません。

では、スキタリングの手順を見ていきましょう。

①ミカン集中法を使って、集中学習モードに入る。
②読書の目的を明確にする。
③文書の題名、副題、見出し、小見出し、序文を読む。
④本の最初のいくつかの段落を通読する。
⑤段落の最初の文書は、その段落の主題を伝える文章であることが多いので、スキタリングする段落の初めの文書を読む。
⑥段落中の単語を拾い読みする。このとき、その段落の最初と最後の文章を除くすべての言葉にすばやく目を走らせ、最初の文章で示された主題に関連すると思う言葉を拾っていく。
⑦文書の意味がはっきりしなければ段落の最後の文章を読む。
⑧最後の数段落を通読する。要約があればそれを読む。
⑨読んだ内容について振り返り、自分の言葉でまとめてみる。
⑩必要であれば、その文書について自分の言葉で簡単なマインドマップ（次の項で解説します）をつくってみる。

●自分に合ったパターンを見つける

スキタリングの目の動きに、決まりはありません。目的はページ全体に目を走らせて主題を補足する単語やフレーズを拾うことです。右から左、あるいは左から右へジグザグに動かしたり、時計回り、あるいは反時計回りに円を描いた動きなど一通り試し最も気に入ったパターンを見つけましょう。

また、目を動かすときのガイドとして指を使ってもよいでしょう。こうしてランダムに目を動かすことは、文書の主題を補って説明する言葉を見つけるうえで非常に有効です。

スキタリングは、教科書や新聞、報告書、ホームページ上の長い文書など、長文に対して特に効果的です。

スキタリングはアメンボの動きのように

1つの文書内で重要な部分は全体の4〜11％にすぎない
スキタリングで、文書中の重要な単語や、文書全体をすばやく確認することができる

Step5

目の動きは自由！ 右→左へ、ジグザグ、時計回りなど、自分に合った方法を見つけよう

それぞれの段落の最初の文章を読む

最初の文章の理解を助ける単語や熟語を探してすばやく目を動かす

意味を伝える言葉、主題を補強する言葉に注意して！

STEP 5 活性化

「マインドマップ®」記憶が一生モノになるノート術

マインドマップで、フォトリーディングした文書の内容を1枚の図にして、情報を整理しよう

●イメージを具体化する

マインドマップをつくる目的は、フォトリーディングによって脳に取り込まれた情報を1枚の紙の上に映し出すことで、文書全体のイメージを具体化したり、あるいは文書の内容を思い出したり、情報を整理したりするためです。

これまでのステップで、目的を達成するためのキーワードを取り上げてきたと思いますが、マインドマップをつくるにあたってこのキーワードがとても重要になってきます。マインドマップをつくることで、このキーワード同士の結びつきが明確になり、目的達成に大きな効果をもたらします。

●マインドマップの描き方

①大きめのノートを用意します。1枚の紙でもかまいません。用紙は横にしてなるべく広く使います。

②ノートの中央部に、テーマ（中央イメージ）を描きます。何をテーマにマインドマップをつくりたいのか、そのイメージを、できるだけ具体的に表現します。できれば絵で表現すると、脳により強い関心を与えてくれます。

③中央に配置したテーマから放射状に広がるように、枝を伸ばします。テーマに関連して、主要と思われるキーワードをピックアップし、太い枝にして描いていきます。

④主要な枝の先には、その枝に関連したキーワードを小枝にしてつなげていきます。1本の枝には一つの言葉やイメージのみを描きます。表現はできるだけ短く、3語以内で表現します。キーワードの多くは、復習などでリストアップした「トリガーワード」と重複する言葉となります。

⑤適当だと思うところに随時、イラストやシンボルなどのイメージ要素を入れます。枝に矢印をつけたり、様々な色を使ったり、文字の大きさなどを変えることも効果的です。

⑥必要に応じて、主要な枝を線で囲みます（グルーピング）。これで、キーワード同士のつながりがより明確になります。情報を最も覚えやすく、忘れにくくすることに効果的です。

マインドマップは、あなた自身の記憶や知識、経験が反映されるので、テーマが同じでも描く人が違えば違ってきます。マインドマップはあなた独自のものなのです。

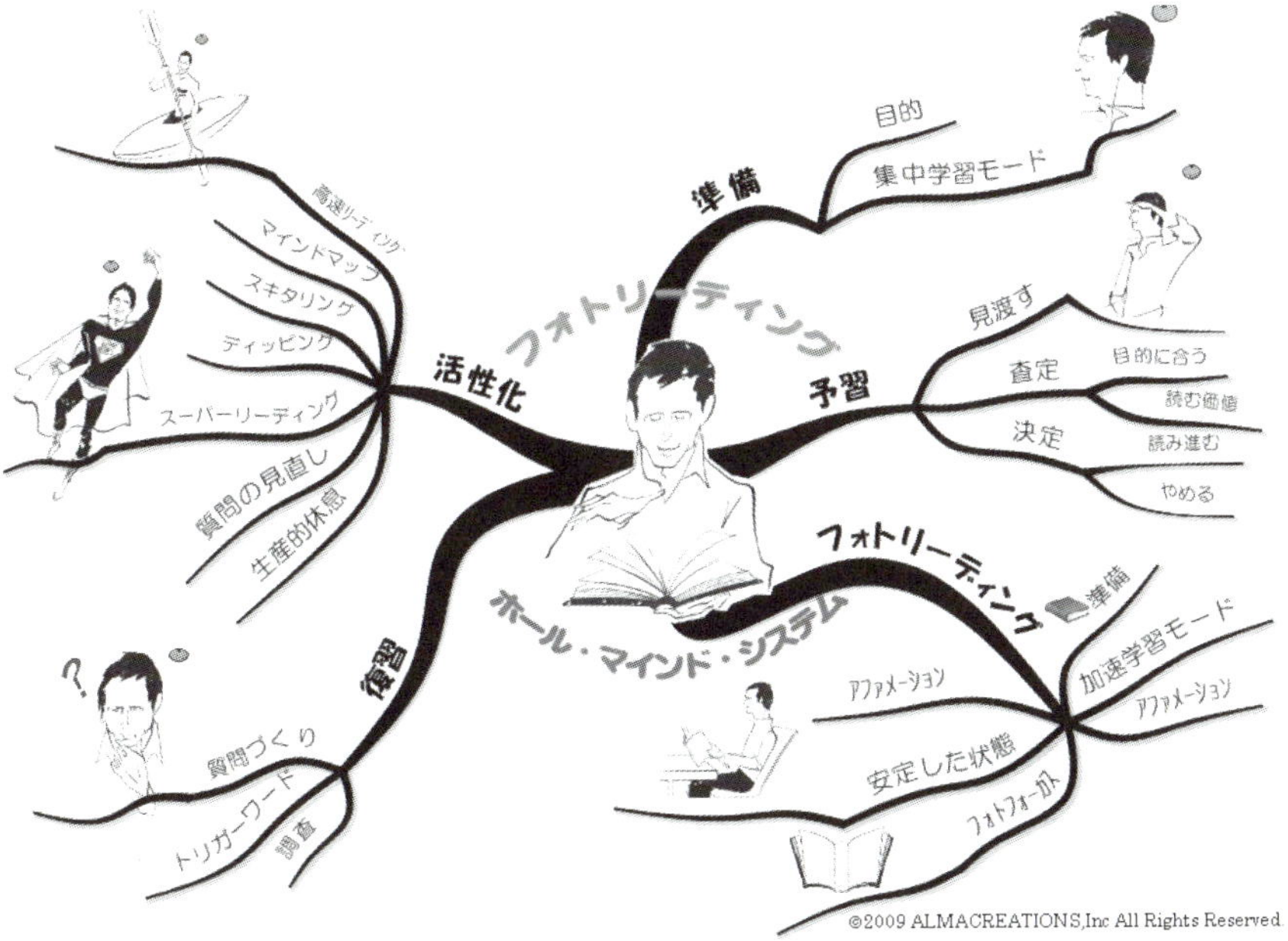

BUZAN'S iMindmap ver.3にて作成

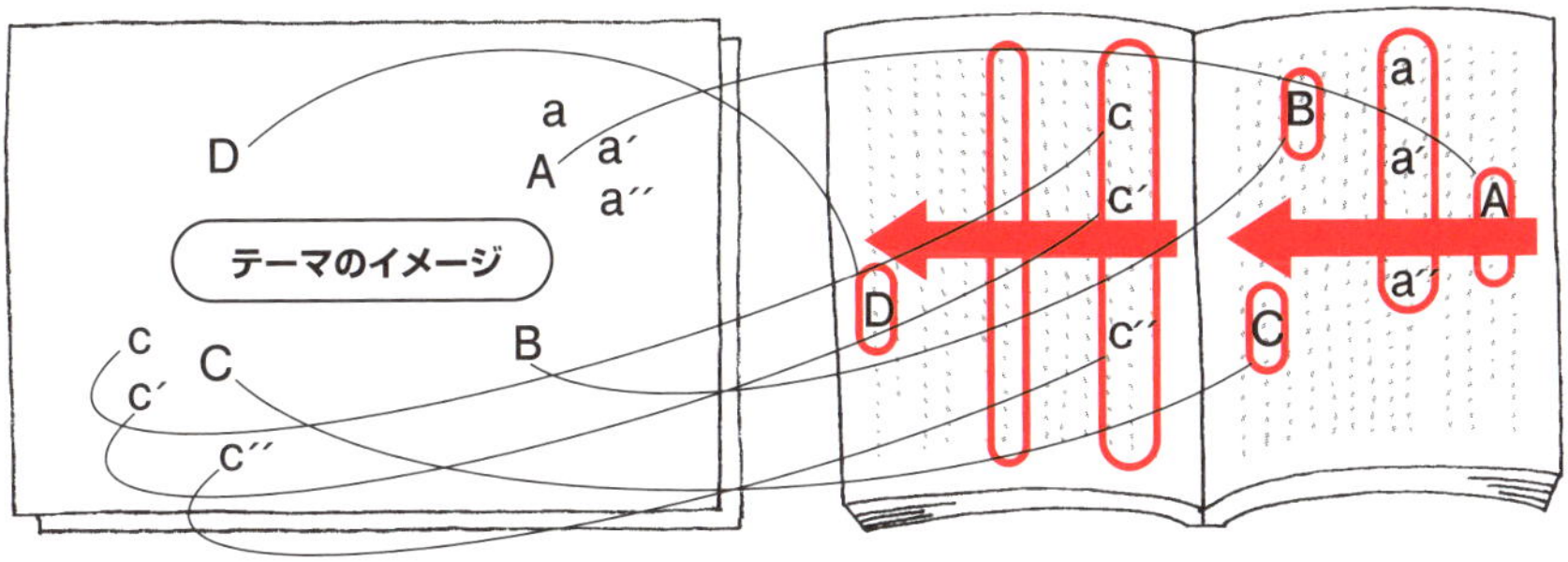

マインドマップづくりのルール

- テーマのイメージを中央に書く（目的、本の題名、著者などをヒントにする）
- 鍵となるアイデアを中央から外に向かって放射状に描く
- キーワードをつなげる

STEP 5 活性化

「高速リーディング」

「読んだ本の内容をもっと知りたい」ときは高速リーディング

文書の重要性に応じてスピードを柔軟に調整しながら読み進めよう

●高速リーディングの必要性

読んだ文書について漠然としている人は、文書についてさらに何を得たいのか、具体的にわかっていない状態です。

そうした場合に「高速リーディング」を行うことで、内容をより深く理解したり、目的を達成するための新たな情報を取り入れたりすることができます。高速リーディングは、小説のような娯楽のための読書や、専門書・技術書など特定の本を読むときに行われることが多いですが、必ずしも必要なステップではありません。

高速リーディングは、読み手であるあなたの「もっと」という要求に応えるだけでなく、文書を意識上で完全に理解できる、というメリットがあるのです。

高速リーディングは一般の速読法と似ていますが、フォトリーディング・ホール・マインド・システムのすべてのステップを経た後で行うということ、そして「自由にスピードを調整できるテクニック」だという点に違いがあります。

では、具体的に高速リーディングの方法を解説しましょう。

まず、集中学習モードに入ります。そして、読みたい文書の最初の文章に指をそえ、読み始めます。

大事なことは、わからない所があっても止まらずにひたすら文書を読み進めるということです。読み進めているとまもなくその部分の理解するための手がかりが見つかります。

「それまでのステップで読んだ」「書かれている内容が簡単、あるいは情報として余分」「自分の目的にとって重要ではない」場合などは、読むスピードを上げます。

その反対に「いままで知らない、なじみのない情報が書かれている」「内容が複雑で難しい」「自分自身の目的にとって非常に重要な情報で、より詳しく知りたい」場合には、スピードを落として読みます。

高速リーディングは、結果的にその文書を様々なスピードで読んでいくことになります。重要性や複雑さ、予備知識などに応じて、ときには速くときにはゆっくりと読むのです。時間は特に設定しません。「読んだ」という満足感を得られるまで、必要と思うだけ時間をかけてください。

「もっと本の内容を知りたい」
「知りたい情報をさらに具体的に把握したい」という人は…

高速リーディング

最初の文章から

↓

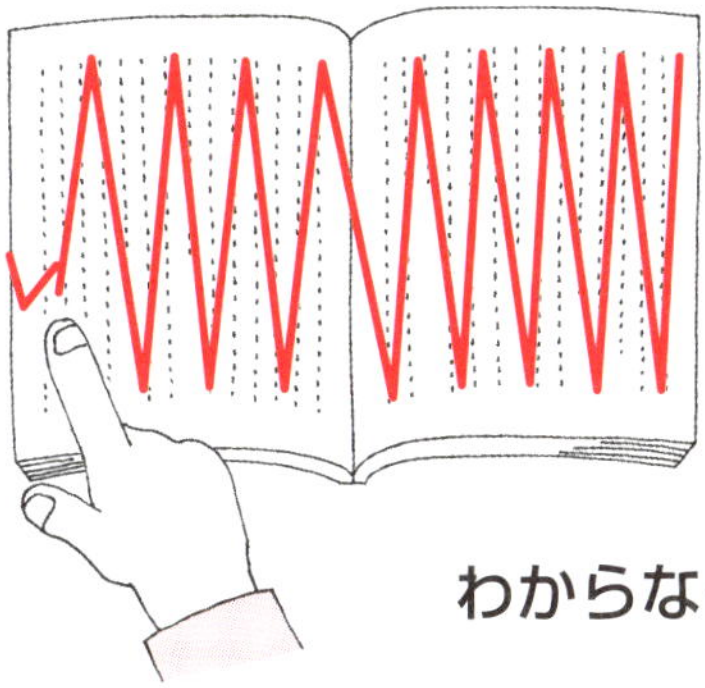

止まらずに
ひたすら読み進める

わからなくても読んでいく

●すでに知っている情報
●重要ではない情報
スピードを上げて

●知らない情報
●非常に重要な情報
スピードを落として

あなたが「読んだ！」という
満足感を得られるまで続けていい

Step5

「活性化」に関するQ＆A

Q「質問の見直し」で質問をうまくつくれません。

A

質問の見直しは、あたかも著者が目の前にいて、著者と対話しているかのように、著者に対して「○○を教えてください」と問いかけます。次のような質問を参考にしてみてください。気楽に好奇心を働かせることが、ポイントです。

「この文書中のポイントは？」

「この文書のどんな情報が私の目標達成に必要なのか？」

「レポートを書くのに、どの箇所が役に立つの？」

「テストで良い成績を収めるのに知る必要のあるところはどこか？」

このような質問を著者に直接ぶつけるようにして、質問をつくってください。

Qスーパーリーディング＆ディッピングで、どうもうまく本の内容が理解できません。

A

スーパーリーディングは、文章全体から、どこに自分の質問の回答が書いてあるかを探し出す作業です。そして、探し出した箇所を集中して読むのがディッピングになります。

たとえて言えば、辞書で調べたい言葉が「質問」、調べたい言葉の位置を見つける作業が「スーパーリーディング」、調べたい言葉の意味を読むのが「ディッピング」となります。

本の内容を理解できないという場合、漠然と本のすべての内容を理解しようとしているということがよくあります。目的を明確にして質問を設定し、それに対してスーパーリーディング＆ディッピングを行い、質問に対する回答を見つけ出すことに集中してみてください。そして、そのうえでさらに内容を把握したい場合は、スーパーリーディング＆ディッピングを2度、3度と行ってもかまいません。

Q高速リーディングは必ずしなければいけませんか？

A

高速リーディングは専門書や小説などの楽しみのための読書の場合によく行われますが、すべての読書素材で必ず行わなければならないものではありません。ここまでのステップで、あなたが必要な情報が得られ、目的が達成されていれば、高速リーディングは行わなくても結構です。

Q 高速で読むと意味が取れません。どのようにしたらいいですか？

A

高速リーディングの特徴は、柔軟な速度で読むことです。新しい情報や詳細に検討したい重要な箇所などはスピードをゆるめて、ゆっくり読みます。すでに理解している情報や重要でない情報はスーパーリーディングのスピードで読み飛ばします。意味が取れない場合は一定の速い速度で読んでいると思われますので、内容に応じて柔軟にスピードを変えて読んでください。

Q 小説などでフォトリーディングを使うと面白くないような気がします。

A

小説などの楽しむための読書でもフォトリーディングを活用することはできます。

その場合は、ステップ１～３を行い、復習と活性化を飛ばして、高速リーディングで柔軟な速度で読みます。普通に読むよりもなじみ感があり、情感豊かに楽しく本を読むことができます。

第3部

速読を超えた速読！フォトリーディングでここまでできる！

「フォトリーディング・ホール・マインド・システム」は
単なる「速読法」とは違います。
仕事に勉強、趣味に習い事……、
新しい脳の活用法を思い切り
利用しましょう。
会社の会議やメール処理、
試験中や、**小説やエッセイ**まで
あらゆる場面で使えます。

新聞、雑誌、辞書、メール、小説など……あらゆる文書で使える！

「紙」だけでなく、電子書籍・メール・ワード文書も。さらに小説やエッセーも面白さが倍増

●紙媒体の文書をフォトリーディングする

①新聞

情報の9割は、見出し、小見出し、最初の1段落で吸収できます。立ち上がって新聞をテーブルの上に広げ、紙面の中央にフォトフォーカスし、見開き全体が視野に入るようにしてフォトリーディングしましょう。

気になる見出しをチェックし、いくつかの記事を各30秒で予習します。

必要ならスーパーリーディングとディッピングをして、要旨をつかみます。朝の数分のフォトリーディングで、社会人として充分な情報を得られます。

②週刊誌等の雑誌

何より楽しむことです。読みたい記事からフォトリーディングして復習します。

長い記事でも復習は3分以内。スーパーリーディングとディッピングか、スキタリングで要旨をつかみ、10ページ程度を5分くらいで活性化できるでしょう。

不要な記事は「読まない勇気」も大切です。

③専門書、教科書、技術書（マニュアル）等

理想的には、予習してからフォトリーディングします。活性化したい章か、節を決め、必要な理解度に合わせて、適切な活性化のテクニックを選びます。章末にまとめの設問があれば、そこから自分なりの質問をつくります。

目的が明確で、具体的な質問があれば、スーパーリーディングとディッピング、スキタリングで、充分な情報を得ることができます。高速リーディングは省略してもかまいません。

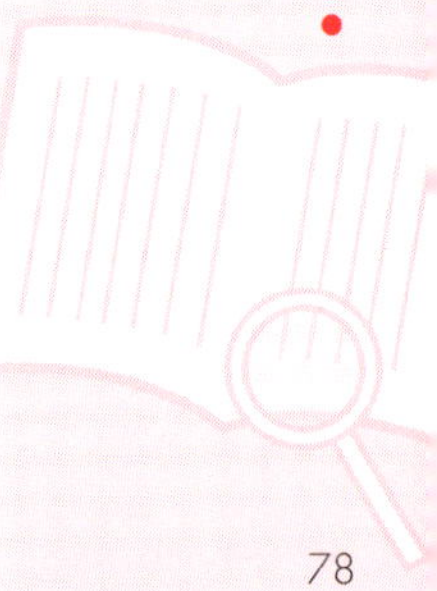

あらゆる文書でフォトリーディングは使える！

新聞

紙面の中央にフォーカスし、
見開き全体を視野に入れる!

小説

人物名や場所、時代などを
大まかに頭に入れてフォト
リーディングを行う

電子文書

視線を画面の中央に合わせ、
視界をゆるめ、四隅が目に入るように!

④小説

フォトリーディングで、小説やエッセーもエキサイティングに楽しめます。

まずミカン集中法を行い、主要人物名や、舞台の場所、時代背景などを大まかに頭に入れて物語を簡単に予習、フォトリーディングします。結論が事前にわかるのでは？と心配する必要はありません。

その後、高速リーディングを始めます。最初のページから読み始め自由にスピードを調整しながら読んでいきます。

●電子文書をフォトリーディングする

短い電子文書やウェブページ、電子メールであれば、予習して高速リーディングすれば充分です。長い文書の場合は、全ステップを使います。

パソコンのページ送りや、スクロールの機能を使えば、印刷文書よりも高速で、スリリングなフォトリーディングをすることができます。

毎分10万語から100万語相当をフォトリーディングする人も珍しくありません。

①フォトフォーカス

電子ファイルでは、ブリップページを見ることはできません。まだ慣れていない人は、周縁視野を広げて画面全体を見る「ソフトアイ」を使います。

視線を画面の中央に合わせて、視界をゆるめ、画面の四隅が目に入るようにします。

②ページのめくり方

画面をスムーズにスクロールするよりも、キーボードの「ページダウン」「ページアップ」の機能を使って、ページごとに表示する方法を使いましょう。

フォトリーディング以外のステップでは、スクロールを利用しても問題ありません。

勉強にも試験中にもフォトリーディングは使える！

自習、授業、試験勉強、レポート、試験中まで、フォトリーディングを使えば楽に結果がでる

●授業や講座を受ける

①教科書

学期前に、勉強する目的を明確にします。全科目において教科書の目次を予習、フォトリーディングします。難しく感じるならば、日によって目的を変えながらこれを何日か繰り返します。「今日は全体像を理解する」「今日はこの分野のなじみを深める」などといった目的を立てましょう。

教科書を読むときは、その章を予習、フォトリーディングし、前後の1、2章もフォトリーディングしましょう。章ごとに要点や設問がある場合は、ざっと読み、スーパーリーディングとディッピングで、設問の答えを探します。

②授業

教科書をフォトリーディングしてから授業に出ると、特に何もしなくても「自発的な活性化」が起きます。

講義のノートはすべて、マインドマップで取り、復習の際に、授業で取った複数のマインドマップを一つのマインドマップにまとめましょう。

③読書課題

課題の他に自分に必要な情報があるかどうか判断します。知りたいことが具体的にあるならスーパーリーディングとディッピングを使って見つけます。知りたいことがはっきりしないなら、スキタリングか高速リーディングを使って、気になる章をおさらいするのがよいでしょう。

暗記すべき重要な事項（特定の事実や公式、定理、歴史の年代など）は、マインドマップにまとめると、暗記がスムーズにできるでしょう。

④レポート課題

次節で紹介する「シントピック・リーディング」の手法を使います。

⑤テスト勉強

授業のマインドマップを見返します。教科書の試験範囲

を加速学習モードでフォトリーディングしてから、高速リーディングするとよいでしょう。

●普段の勉強

20〜30分を1単位として勉強時間を区切ることで、集中力や記憶力がアップします。

①この時間の勉強で使いたい本をすべて集め、目の前に並べます。
②3〜5分で、目的（今日の勉強のゴール）を明確にし、集中学習モードに入って、次のような現在形のアファメーションを唱えます。
「いまから物理の教科書の5章と6章をしっかり吸収し、章末の設問に答えます。明日の授業の準備は、バッチリです」
③集中学習モードで勉強を開始します。教材を簡単に予習し、目的に応じてフォトリーディングと活性化、高速リーディングを組み合わせて使います。
④物理的にも精神的にも勉強から離れるために、席を立って5分間休憩します。
⑤ステップ2に戻って、2回同じことを繰り返します。
その後は15分休憩してから、また①から始めます。

●全脳を使って試験を受ける

①試験前に集中学習モードに入ります。
②問題文を全部フォトリーディングしてから、最初の問題を読みます。
③簡単な問題から先に答えていきましょう。目の前の問題に集中し、前後の問題のことは考えないようにしましょう。
④問題を読んでも解答を思いつかないときは、あとで戻ってもう一度解くことにして、次の問題に進みましょう。
⑤問題を分析することに時間をかけず、脳から送られてくる直感的なシグナルを信頼して、解答できるかどうかを見極めることが大切です。
⑥「良い成績をとらなければ」という気持ちを手放し、目の前の問題に集中しましょう。
⑦試験の途中、ときどき手を止めて、深呼吸したり、リラックスしたりすることを忘れずに。

授業を受ける

授業前に…
フォトリーディング
授業中
自発的な活性化
ノートはマインド
マップで描く

普段の勉強

すべての本を並べて
アファメーションを唱えてから、
フォトリーディングを行う

試験を受ける

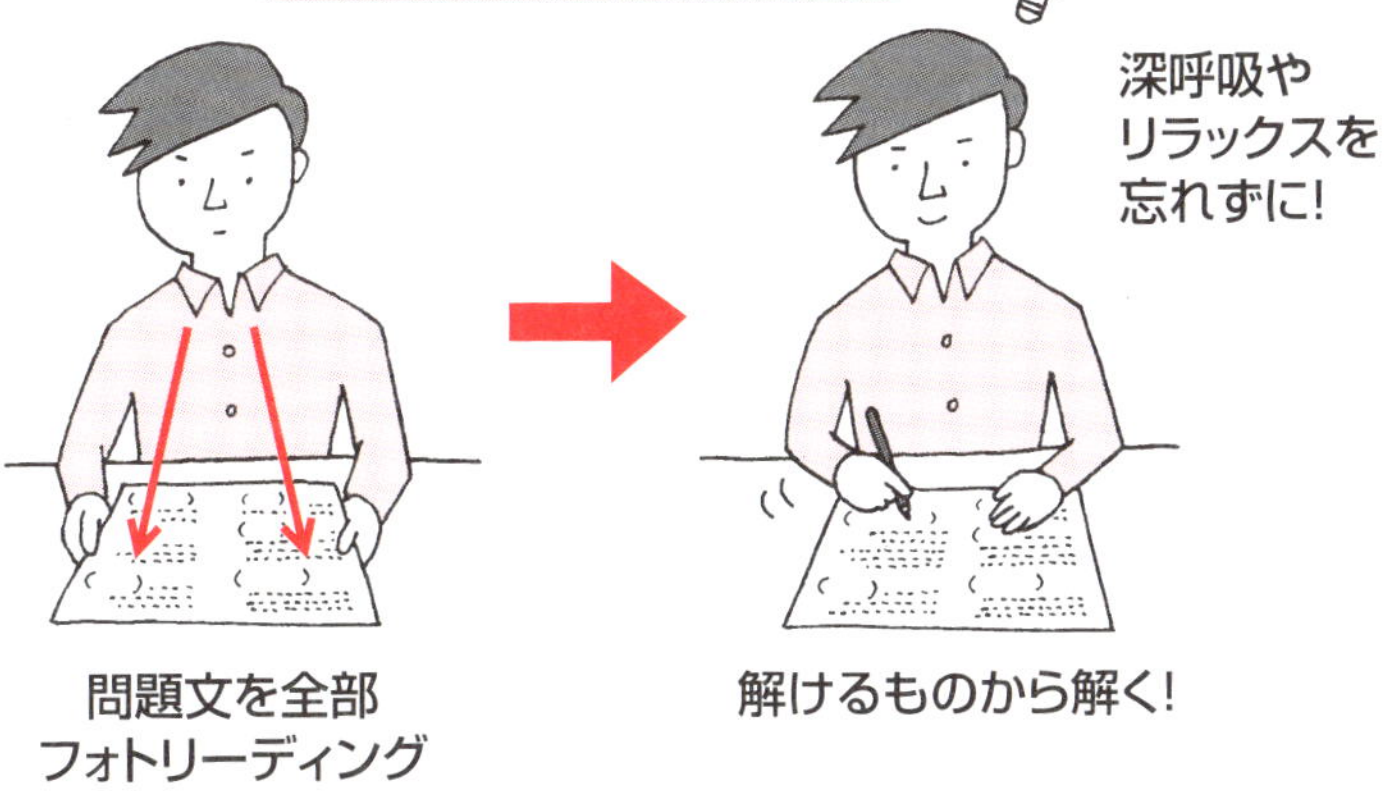
問題文を全部
フォトリーディング
解けるものから解く！
深呼吸や
リラックスを
忘れずに！

1ランク上の理解を得たいあなたに最適！「シントピック・リーディング」

同じテーマの本を数冊フォトリーディングすることで、様々な視点の知識を得よう

●1ランク上の読書法

あるテーマの本を読めば読むほど、「一つのものの見方には、必ず相反する見方がある」ということがわかります。この「相反する」見方を理解することで、一つのテーマについてさらに一段上のレベルの答えを導き出すことができます。

シントピック・リーディングで多くの考え方に触れることによって、自分が納得のいく回答を見つけたり、自分なりの新たな考え方を導き出すことができるのです。

●シントピック・リーディングのステップ

シントピック・リーディングのやり方を見ていきます。

①自分にとって本当に意味・価値ある目的を設定します。

②自分が読む本をリストアップします。理解したいテーマに関して異なる意見を持つ複数の著者のものを選びます。選んだ本は予習して、目的にかなっているかどうかを確認します。

③活性化をする前日にすべての本をフォトリーディングします。眠っている間に脳は情報を整理してくれます。

④シントピック・マップの用意をします。フォトリーディングで取り入れた情報を活性化し、全体を見渡せるマップをつくるためです（これ以降は、シントピック・マップ上に描いていきます）。

⑤それぞれの本をスーパーリーディングとディッピングして、目的に関連した箇所を見つけ出します。

⑥この段階でテーマについて自分の言葉で簡潔に要約します。

⑦それぞれの本についての共通点と相違点を見つけます。

⑧テーマの論点を見つけます。著者の間に見解の相違があるとき、その部分がテーマの論点となります。

⑨得られた情報を統合して、自分自身の見解を導き出します。

⑩目標や必要に応じて得られた情報や知識を活用します。たとえば、レポート作成、関連本を書くといったことでしょう。

シントピック・リーディングにかける時間は、1回あたり45分間の活性化を2回ほど行います。その前に費やす時間は1冊の本につき、10～15分の予習と、それに続くフォトリーディングだけです。

シントピック・リーディング

下の図はあるフォトリーディング・インストラクターが4冊の本で
シントピック・リーディングを行なった結果をマップ化したもの。
「フォトリーディングがうまく教えられるための情報を得る」という目的に対し、
「説明するときのきっちりとした準備」など、自分なりの答えが導き出されます。

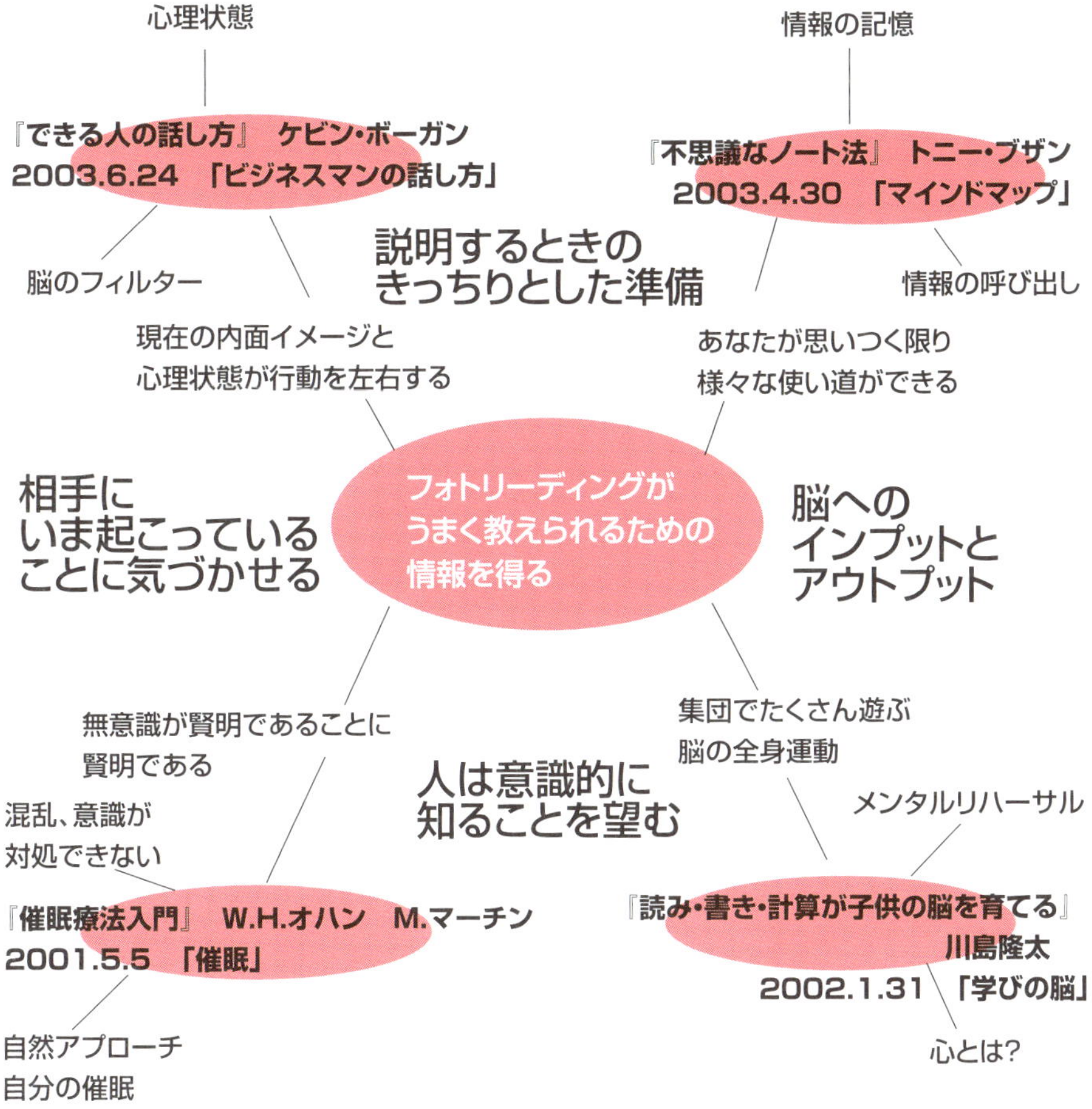

ゴルフやピアノ……フォトリーディングで趣味も上達！

本を速く読むだけでなく、テニスやゴルフ、ピアノ、スピーチなど、あらゆるスキルが自然に上達する

●あなたのスキルが飛躍的にアップ

ダイレクト・ラーニングは、フォトリーディングを応用し、「ピアノがうまくなりたい」「ゴルフをもっと上達させたい」といった、あなたのスキルを自然に上達・変化させるテクニックです。

「ダイレクト・ラーニング」とは、この上達したいスキルに関する本を数冊フォトリーディングし、上達していると いう姿を思い描くことです。

では、ダイレクト・ラーニングのやり方を説明しましょう。

①自分が身につけたいスキルは何かを考える

まず、あなたにとっていま、最も関心が高く、しかも、人生の中で絶対に身につけたいという行動、つまりスキルを一つ選びます。ここでのポイントは、個人的に強い関心を持っていることです。興味の対象が具体的であればあるほど、ダイレクト・ラーニングはうまく機能します。

②あなたが決めたスキルに関する本を選ぶ

ここで大事なことは、あなたが身につけたいスキルについて「ハウ・ツー」形式で解説している実践的な内容の本を選ぶことです。選ぶ本は、4～5冊程度。そのうち1冊はスキルと直接関係ない本を選びます。

③選んだ本をフォトリーディングする

それぞれの本をフォトリーディングする前に、必ず読む目的を明確に唱えてください。終わったときは、終了のアファメーションを行います。1冊終わるごとに、軽くストレッチをしたり、水を飲んだりして休憩するとよいでしょう。

④スキルが上達している姿を想像する

新しいスキルが、行動上に反映されるように、脳を誘導します。スキルがアップしているイメージを見たり、聴いたり、感じたりと具体的に思い浮かべます。それが、あなたが本来求めるスキルが向上するための脳への信号になります。それぞれの本は一度フォトリーディングすればＯＫですが、④は30日間続けるとより効果的です。

ダイレクト・ラーニングは、知識ではなく、行動やイメージによって活性化するものです。ですから、読んだ本を、意図的に活性化しないことをおすすめします。

ダイレクト・ラーニングでスキルが上達！

身につけたいスキルの
ハウ・ツー本を4〜5冊選ぶ

↓

すべてをフォトリーディング
（1冊終わるごとに、軽く
ストレッチをするなど休憩を!）

↓

これが脳への
信号になる！

スキルが上達している
自分の姿を思い浮かべる

会社の会議が効率化する！

グループ活性化で、膨大な情報を短時間で共有する

●短時間で膨大な情報を共有できる

会社内では、日々、様々な会議や打ち合わせが行われています。しかし、参加者が多かったり、様々な部署が関わる場合、意見がなかなかまとまらない、あるいは結論が出ない、といったことが考えられます。しかも、議題によっては、膨大な資料を短い時間で把握しなければならないこともあります。

そこで、複数の人が参加する会議や打ち合わせなどで、短い時間で膨大な資料を読む必要がある場合、フォトリーディング・ホール・マインド・システムを使うことで、参加者全員が情報を共有化でき、会議を非常に有益なものにしてくれるのです。その具体的な方法が、グループ活性化です。

では、グループ活性化はどのような方法で行うのか、以下に見ていきます。

●グループ活性化で会議をもっと有益に

1．会議前の課題

まず、グループのリーダーが前もって、各メンバーに会議で使う資料のコピーを配ります。その際、会議の目的と求める成果が書かれたメモを添えます。

2．各メンバーの準備

各メンバーは資料を家に持ち帰り、次のステップにしたがって読みます。

①準備（1分）
②予習（1～2分）
③フォトリーディング（1～3分）
④復習して質問を2～3個考える
⑤オプションとしてスーパーリーディングとディッピング（最長10分）

グループ活性化をより効果的なものにするため、就寝時は、グループの目標を見事に達成した自分たちの姿を想像します。

メンバー各自が資料を
フォトリーディング

翌日……

グループで活性化の作業をして
ディスカッションすることで、
お互いの活性化を促し合う！

3. グループ活性化

リーダーは、会議にあたって、会議の目的をもう一度明らかにします。

そして、資料の予習でわかったことを各自から聞き出し、その資料の全体的な特徴について簡単にディスカッションします。

これにより、グループ全体が資料の内容について参照でき、また、内容の基本的な枠組みが理解できます。

次に、メンバー各自に、より深く分析してほしいセクションと具体的な課題を与えます。ここでのポイントは、メンバー各自の個人的あるいは仕事上の興味に関連する具体的な課題を与えるということです。

メンバー各自に担当するセクションを高速リーディング、あるいは文書全体をスーパーリーディングとディッピングをしてもらい、カギとなる情報を探してもらいます。時間は7～12分程度で充分です。

4. ディスカッション

まず、スーパーリーディングとディッピングで得た情報をメンバー各自に説明してもらいます。所要時間は5分程度です。

次に主要ポイントのピックアップをします。主要ポイントをあげるにあたっては、

◇キーワードのリストアップ

◇筆者が掲げる問題のリストアップ

をします。

これをもとに、マインドマップを作成し、提示された問題とその解決策について検討し、さらに提示されたアイディアの価値と問題点について話し合います。

このディスカッションによって、スタッフ同士がお互いに会議資料の活性化を促し合うことになります。これが、グループ活性化の大きな特徴です。

グループ活性化は、情報を共有する必要があれば、どんな場面でも使うことができます。また、担当分野を越えて情報を共有する場合には、とても有効な方法といえます。

おわりに

「もし、いままで10時間かかっていた本が1時間で読めるようになったら、あなたはどうしますか？」

フォトリーディングの講座でこう質問すると、多くの方が意外な顔をされます。そして「そんなふうに考えたことがなかった」とおっしゃいます。

フォトリーディングはいままで無意識に持っていた「読む」ということへの思い込みに気づかせ、本来文書を「読む目的」にたちかえらせてくれます。

しかもフォトリーディングという行為によって、いったん脳に文書全体の情報を取りこんでいるため、必要に応じて質問を投げかければ、脳はその情報を知っているものとして回答を探し出してくれるのです。

私がフォトリーディングで学んだことは数々ありますが、本が速く読めるようになったことはもちろん、次のようなものを学びました。

・時間は有限。いま、不必要な情報は手放して貧乏症をやめる
・目的があるとないとでは、情報処理の効率と品質がまったく異なる
・何事にも多重知性を活かし、全脳を活用する

・質問が明確であれば、答えは引き出せる
・「できない」をやめて「できるとしたら」と考えれば、突破口が見つかる
・好奇心が、記憶とアイディアとモチベーションの源泉になる

この中の一つ一つ、どれをとってもとても重要な学びとなり、いまの私を形づくっています。いざというときにフォトリーディングを知っていると、危機を乗り切るための大きな助けになります。

フォトリーディングを学ぶうえで最も大きな障壁は、フォトリーディングがなくても本が読める、ということです。そのため、学び始めた当初はフォトリーディングを意識して行う必要があります。本書を読み終わったら、手に取った本、書類、新聞雑誌の類も、まずはフォトリーディングをしてから読み始めてください。何冊か試していくうちに、フォトリーディングの便利さを実感していただけるでしょう。

本書を出版するにあたり、フォトリーディングの開発者であるポール・R・シーリィ氏、それを日本に伝えてくれた神田昌典氏に心より感謝を申し上げます。そして、何度も日本に足を運び、多くのインストラクターを育ててこられたフォトリーディングのマスターインストラクター、リネット・アイレス氏と、本書を技術的な面でサポー

トしてくださいました、フォトリーディング主任研究員の伊藤信明氏にも深くお礼を申し上げます。

本書のバックグラウンドとなった数々の事例を長年シェアしてくださっている、日本のフォトリーダーのみなさま、またことのほかフォトリーディングを愛し、日々その普及のため研鑽《けんさん》を積んでいるフォトリーディング公認インストラクターのみなさまにも言いつくせない感謝を送ります。

フォレスト出版の長倉顕太編集長、古田美南子さんには、本書を出すきっかけをいただき、また根気よく編集におつき合いくださいました。本当にありがとうございます。

そしてなによりも、この本を手に取ってくださっている、読者のあなたに。

心からあなたを歓迎します。

この読書法を使い、あなたの世界がどのように変わったかぜひお知らせください。

世界中のフォトリーダーがあなたの素晴らしい経験を聞くのをお待ちしています。

フォトリーディングの世界へ、ようこそ。

フォトリーディング公認インストラクター　石ヶ森久恵

【フォトリーディング成功者の声】

☆リストラから一転！　ベストセラー著者に！

花輪陽子さん　ファイナンシャルプランナー・作家・翻訳家

フォトリーディングは、夫が以前セミナーを受講していたことで、存在を知っていました。

当時の私は、リーマンショックで外資系投資銀行をリストラされ失業中でした。学生時代からファイナンシャルプランナーに興味があったので、それで独立したいと考えていました。しかし、どうやって独立したらいいのか、どうやったら仕事を得ることができるのか悩んでいました。

そんなとき、ふと私もフォトリーディングを実践してみたのです。たくさん本を読み、いずれは自分で本を執筆したいと考えていました。

１カ月ほどして徐々に変化を感じるようになりました。読書が楽しめるようになりました。

そして、**１年間で３００冊以上読み、**『夫婦で年収６００万円をめざす！　二人で時代を生き抜くお金管理術』（ディスカヴァー・トゥエンティワン社）を出版しました。

執筆中は、１日５冊ほど読み類書研究をしていました。普通の読書法ではこれは無理だったと思います。

おかげさまで出版後、たちまち本が増刷され、講演・執筆・取材依頼が多数来るようになりました。今は精神的にも安定していて、毎日が楽しいです。

フォトリーディングは、本を最初から最後まで一字一句読もうとして挫折してしまう完璧《かんぺき》主義な方におすすめしたいです。また、左脳に偏っている人にもおすすめです。

☆執筆、資格試験、仕事にフォトリーディングが大活躍！

中川邦子さん　ＩＴ講師・ＳＥ

私はフォトリーディングの集中講座を２００４年に受けたことで、**難関試験の論文の試験に受かったり、出版した本が売れたり、仕事の効率がアップして周囲からの**

評価が上がったりと様々な場面で、劇的に変化しました。

当時、私は二つの仕事をかけもちしながら、上級システムアドの論文の試験勉強をしていました。

過去問題の模範解答を書き写すというのが勉強法の王道なのですが、相当な時間がかかります。そこで私は、書き写しはせず過去問題5回分の模範解答をフォトリーディングし、核となるポイントをつかんでマインドマップを作成するという作業を繰り返しました。

試験本番では、自分の経験と過去問題の模範解答から得た知識を組み合わせて論文の核となるポイントを書き出し、マインドマップを利用して構成を組み立てるところまでを15分程度で済ませ、残りの時間でじっくり肉付けしながら書きました。その結果なんと**一発合格**することができました。

当時の私は、昼間は派遣、夜はパソコンスクールでの個人レッスンをしていましたが、どちらの仕事も、短時間で相手が望むものを提供する必要がありました。

派遣の仕事では、新しい仕事が決まると、まず事前に業界全体の背景や問題点等をある程度把握するため、関連書籍を十数冊フォトリーディングしていました。

フォトリーディングのおかげで、**まったく経験のない分野の業務内容であっても、短期間で、お客様と対等にお話ができるレベルにまで知識を引き上げ**、さらにそれをシステム化したり、指導できるレベルにまで持っていくことが楽にできるようになりました。的確な提案が早い段階でできるため、お客様からの信頼もすぐに得ることができていました。

それにより、さらに必要な情報が得やすくなり、仕事のスピードアップにもつながったと思います。

また、私はどちらかというと雑談が苦手だったのですが、仕事に関する本以外に、ベストセラーを本屋でフォトリーディングすることで、雑談のネタに困ることがなくなり、派遣先の人や初対面の人とも、良好な人間関係を築けるようになりました。

また、以前、コンピュータ関係の資格試験の問題集を出していたのですが、資格試験の問題集は、公式テキストと同時に本屋に並べたいという出版社の意向があるため、公式テキストのゲラを入手後、原稿提出まで1週間程度しか時間がなかったりします。

短時間で資料を読み、重要ポイントをピックアップして問題と解説を作成する必要があるのです。それに加え、問題や解説に深みを持たせるため関連書籍を最低でも十数冊読むのですが、その際もフォトリーディングが大いに役立ちました。

おかげでその本は出版当時、問題集の中で**トップの売上を誇る**ことができました。

☆勉強が苦痛じゃなくなった！　ほしい情報や会いたい人も、自然と集まってくる！

渡辺康弘さん　大学生

僕は大学の入試で第一志望の大学に落ちてしまい、別の大学の二部に入学しました。

大学入試の最後の日の帰りに、偶然フォトリーディングを紹介した本を買ったのが、私とフォトリーディングとの出会いです。

最初は、『あなたもいままでの10倍速く本が読める』をよくわからないなりに読み進めていました。続けているうちに**本に対する抵抗感がなくなり、内容を理解する時間が以前に比べて大幅に削減でき**、ここに書いてあることは本当なのかもしれない……と感じました。

続けていって、不思議だったのは、フォトリーディングを始めてから、**次々と会いたかった経営者の方とお会いする機会や講演会の情報が自然と入ってくるようになったのです**。

●転部試験に合格して、できているという確信へ

その当時僕は、大学の二部（夜間）から一部へ転部したいと思っていたのですが、朝の九時から夜の五時までずっとバイトしていて、そのあと大学（夜間）に通っていたので、転部の試験勉強をする時間がありませんでした。

転機になったのは、転部試験直前の1週間。ちょうど大学の授業がなくなり、勉強する時間ができたのです。

とはいってもたったの1週間。普通にやっていたら、とても間に合わない。そこで、ダメもとで、試験科目のミクロ経済学と英語試験（経済学）の関連する教科書をフォトリーディングしたのです。

当日の試験は、問題の解答のイメージが次々と浮かび、どんどん解答を出すことができました。それはいままでにないぐらい爽快な体験でした。

合格者発表日までは、不安でしたが、見事に、40人中5人しか受からない試験に合格したんです！

合格者のうち、僕以外は皆、転部試験専門の学校で1年間授業料を払い試験対策をしてきた人たちでした。正直、僕は一週間だけで、なんだか申し訳ない気も反面やっと人生に光が戻ってきたかなと思いました。

この経験がフォトリーディングは試験勉強などで大いに使えるといった確信につながった瞬間です。

●大学の定期試験に活用

定期試験にもフォトリーディングを活用していました。

授業中は、ノートは講義内容をマインドマップで、黒板の内容は通常の横書きスタイルで並行して書いていました。余った時間は関連テキストや関連分野の書籍をフォトリーディングしていました。

試験勉強はほとんど行なわず、試験前にだいたい1科目2時間ぐらい使って一気に、大量に20冊ほどの関連書籍をフォトリーディングし、シントピックリーディングを行ってました。

何も見ずにひたすら活性化してその内容を何も見ずにマインドマップ化。マインドマップした後で、そのマインドマップと授業のノートを使って内容の完全再現を行っていました。

この方法のおかげで、試験科目の8割はA以上という結果に、6割はAAという上位5％しかもらえない成績でした。

レポートを書くときもフォトリーディングは非常に有効です。普段から、自分の好きな分野をフォトリーディングで頭の中にストックしておけば、もうレポートのネタが揃っているという感じなんです。「ここと、ここと、ここをつなげば、レポートになるよね」という感覚です。

●必要なものが自然とやってくる！偶然性の多発！

二浪していたときはずっと鬱《うつ》状態で、不安や心配や恐怖観念に悩まされて、ストレスで体重は65キロから83キロまで太り、どん底でした。

フォトリーディングを行っていると自分の潜在意識を変えることができるので、今は自然な体重へ戻っています。

今では誰も信じてくれませんが、昔は本がものすごく嫌いだったんです。フォトリーディングをやり始めて、本が読むのがすごく抵抗感がなくなって、楽しく今では**年間1000冊くらい読んでいます。**

本との1冊1冊の出会いと縁は、すごく大切で、今自分が困っていたりするときは、偶然出会った本から答えを得られるケースがよくあります。

普段、私はほとんどといっていいほど、電車でイスに座れるのですが、たまに、座れないことがあります。そういうときは、何かメッセージがあると思って、「電車で座れなかったら古本屋に立ち寄ろう」というルールをつくっています。

実際に行くと、そのときに自分が知りたかった情報や自分に足りていない知識の本に出会えるんです。他にも、部屋を掃除していたら本がダダダーッと落ちてきて「あ、これすごい本だ。読んでなかった」とか、そういう**偶然性が起きやすくなりました。自分が必要としている情報も入ってくる**ようになりました。

たとえば「パソコンのキーボードって、なんでああいう配列になっているのかな？」と、特に調べることなくずっと思っていたら、早稲田大学院のベンチャーの講演で、iモードをつくった××さんが「キーボードの配列っていうのは」と解説してくれました。**何か問題を持っているだけで、その答えが自然と向こうからやってくる**ようになりました。

たまたま友人とお茶をしながらある会社の社長の話をしていたところ、カフェを出たら目の前を本人が歩いていた！　だとか。**フォトリーディングをやり始めて、そういう偶然性が当たり前のようになってきました。**

●コミュニケーションが変わった！

コミュニケーションも、ものすごく変わりました。昔は本当に人と会うのが怖かったんです。

特に二浪したときは、外に出るのが怖かったんです。それなりの進学校だったので、みんないい大学に入っていて、同級生に会うのが怖くて怖くて。「何やってるの」

とか、姿を見られるだけでも怖かったのですが、フォトリーディングを始めてセルフイメージが変わり、自分に自信を持てるようになりました。

また、それまでは人とのコミュニケーションも、常にどちらが優位にあるかの主導権争いをしていました。そういう感覚もなくなり普通に接することができるようになりました。

●素直に実行すれば結果がでる!

周りの友人にも、フォトリーディングを「やってみて!」と進めています。『あなたもいままでの10倍速く本が読める』は50冊くらい配りました。

多くの人の最初の壁は、フォトリーディングの最初の段階のブリップページ。ブリップページが見えないといって挫折する人が多いんです。

できるようになるコツは細かいことを気にせずに、どんどんやって続けていくことです。月10冊はフォトリーディングしようとか目標を決めて行っていきましょう。僕の友達の中にも、細かいことを気にせずに続けた人は、必ず結果を出しています。

☆フォトリーディングで、天職を見つけた!

深谷明宏さん　カウンセラー・設計コンサルタント

フォトリーディングとの出会いは今から5年前です。ある成功者の紹介がきっかけです。最初は「そんなにうまい話があるわけがない」と、思い込んでいました。

当時、仕事では役職も主任となり、リーダーとして何事にも率先していくように要求されるようになったころでした。「将来は、会社の二代目として頑張ってほしい」と社長から言われた時期でもあります。

その2年後、フォトリーディングの講座を受講しました。昔から本を読む習慣はあったので、それがスピーディーになればいいなと思い、フォトリーディングをふと思い出したからです。

当時私は、今までの自分を変えたいと願いながらも、行動に移すきっかけを探している状態でした。周囲からの期待と、今までの延長を変えたいという思いの狭間の中、何をしたらいいのか悩んでいました。

実際に、フォトリーディングを始めて、**「パラダイムシフトとはこのようなことを言うのだ」**と実感しました。**講座中にすでに私は大きな変化に気づいていました。**

それから毎日、1日1冊、1カ月ほどガムシャラに続けました。そうすると、変化が変化ではなく日常になってきました。

本を読むスピードが飛躍的に速くなるだけでなく、物事を見る目や考え方が鋭敏になり、直感も鋭くなってきました。さらには**創造性もアップ**し、様々な角度で物事を見ることができるようになるので、**固定観念に囚われることも少なくなりました。**

私はフォトリーディングを、自分自身を見つめ、何をする事が一番ワクワクするのかを探すために利用しました。

本の中で見つけ出す言葉が、自分の内面を表現し反応したトリガーであるように思えます。そこから何を学び、感じ、読み取るのか。それが一番大切でしょう。

そして結果的に私は、日本メンタルヘルス協会公認心理カウンセラーになりました。本当に大きな成果は、自分らしく生きるためにはどうしたらいいのか？　を常に考えるようになったことです。そして、そのための行動に対して、躊躇《ちゅうちょ》しなくなったことです。

ですので、**自分らしく生きたいと思う人、何をして良いのかわからない人、憧《あこが》れや夢がある人、優れたスキルを身につけたい人、におすすめ**です。

世の中には優れた賢人や先人が書き残した数多くの文献、第一線で活躍している方々が書かれた書籍が山のように存在しています。そこから効率よく一番の宝物を見つけ出す方法がフォトリーディングです。

☆視野が広まった！　結果を出したい人にオススメ

左次拓馬さん　ＩＴ関連会社勤務

フォトリーディングに出会う前、私は中堅のＩＴ企業に所属し、幹部候補としてリーダーを担っていました。そのため、プログラムや設計やマネジメントスキルを幅広く、かつ深く身につけたいと努力していました。

その当時の私は、「自己評価の低さ」と「他者評価の高さ」というギャップに悩んでいました。努力はしていましたが、私自身としては手ごたえを感じていなかったのです。

２００５年ごろ、書店で『あなたもいままでの10倍速く本が読める』を手に取ったのがフォトリーディングとの出会いでした。

「10倍になるのであれば、どれだけ多くの本に触れることができるだろう」と感激しました。ＩＴ業界は日進月歩です。読むべき本、読みたい本が山積みになっていました。

本だけでは物足りず、２００９年にセミナーを受講しました。しかし、フォトリーディングの一連の手順に時間がかかり、すぐには変化を感じませんでした。

ただ、以前に比べ「読んだはいいが、それで終わり」から「**読んだ後の行動に結びついている**」という実感はありました。

はっきりと効果を認識したのは、トリガーワードの役割を理解し、フォトリーディングの全体像がつかめてからです。別の視点を手に入れ、その結果、**自身の視野が広がった**ように感じられました。

ここから、**加速度的に本を処理するスピード**が向上し、**現在では1時間半で8冊を処理できるようになっています**。

私は、フォトリーディングのスキルを大きく二つで活用しています。

まずは「**情報収集**」です。偏りなく大量の本を処理することができることで、〝間違った情報を鵜呑《うの》みにする〟〝著者の思いに引きずられ、誤った理解をする〟ことがなくなりました。著者を読むのではなく、本当の意味で本が読めるようになったのかもしれません。

もう一つは「**考察**」です。同一の事象に対して記述している本を複数用意しシントピック・リーディングを行います。あたかも、それぞれの本の著者が眼前に現れ、対話しているかのような発想を得られることがあります。

もちろん、その分野に関する自身の知識が豊富であれば、普通に本を読んでも発想を得られるとは思います。

フォトリーディングの真価は、自身の知識量がそこまで

に至っていなくても、発想を得られるということです。

仕事面では、２００９年１月に転職し、１年後、親会社へ出向しました。ＩＴしか知らず、当初は「半年で一人前になる」というのが上司との目標でしたが、４カ月後には業務改革や組織再編チームの一員として、古参メンバーと意見を交わせるようになっています。

もちろん、今では、評価のギャップに悩まされることもなくなりました。

「意欲はあれど、向かう方向も定まらず、結果も出ていない」という人にオススメしたいと強く感じます。フォトリーディングはその意欲を支える強い味方になることでしょう。

☆１日10冊フォトリーディングし、新しいジャンルにも挑戦中！

Ｔｏｍｏｍｉさん　ライター・カメラマン

フォトリーディングを知ったきっかけは『あなたも今までの10倍速く本が読める』を手に取ったことです。

インパクトのあるタイトルにひかれて読んでみると、仕事（ライター）で大量の本を読む経験の中から身につけた読書法やまったく新しい読書法が、系統立てて書かれていました。

ちょうどそのころ、夫が通信講座でフォトリーディングを受講。その後、**２回連続でＴＯＥＩＣ９００点を突破した**のを機に、私も本格的にフォトリーディングを始めました。

最初はブリップページが見えず、きちんとできているのか不安でした（先生からは見えなくても大丈夫と言われていましたが……）。けれど、毎日フォトリーディングを行っているうちに、ある日突然ブリップページが見えるようになりました。私の場合は、ちょうど習慣化の目安である21日目くらいだったと思います。

徐々に、短時間で必要な情報を得ることができるようになり、今では午前中に仕事の資料の本を5〜7冊、午後は個人的に興味のある分野の本を5冊フォトリーディングし、メモを取るぐらいのことができるようになっています。

フォトリーディングは、ライターの仕事の時間短縮化・効率化に非常に役立っています。簡単なテーマであれば、資料本数冊のフォトリーディングと原稿書きを午前中だけで済ませてしまうこともあります。

また、普段インタビューの仕事があるときは取材対象者の著書を読み込んでから行くのですが、あるとき、本がなかなか手に入らず、取材当日の朝の電車内でしか取材関連本を読む時間がないことがありました。

仕方がなくフォトリーディングと活性化だけで取材に臨んだのですが、取材は大成功で、取材対象者にも編集者にもお褒めの言葉をいただきました。

一方で、フォトリーディングとは一見まったく関係がなさそうな写真の仕事にも役立っています。

小心者なので、昔はうまく撮れた写真を撮影前夜に一通り見てイメトレを行うということをもう何年も続けていました。しかし今では、写真集のダイレクトラーニングとイメトレ代わりのフォトリーディング＋撮影当日のミカン集中法とアファメーションで乗り切れるようになり、精神的にも時間的にもずいぶん楽になりました。

現在は、マインドマップアドバイザーの資格を取得し、これまでの仕事などで得た知識と組み合わせて講座を開催するなど、新しい試みも始めています。

講師やセミナー運営は未経験で、ファシリテーション、コーチング、起業、ウェブ集客など勉強したいことは、本を読めば読むほど増える状態なので、フォトリーディングには非常に助けられています。

フォトリーディングは、**バリバリのビジネスマンやワーキングマザー**をはじめ、**常に「時間がない！」と思っている人**、**学生さん**や、**意外に自分の時間が持てない主婦**などにもおすすめです。潜在意識の活用というと怪しげですが、要は新たなスキルの導入です。可能性の扉を開く鍵として、試す価値は大きいと思います。

☆何ごとにも自信のなかった私が、勉強会・大学院・ＮＰＯ活動と人脈が広がった！

木村恵さん　損害保険会社勤務

フォトリーディングを知ったきっかけは、友人からの紹介でした。

当時の私は、地方から東京に転勤してきて、仕事がつらい時期でした。将来が見えず不安でした。自分が仕事ができないことへの悔しさもあり、精神的にもつらかったです。

仕事でも文章を読むことが多かったので、「文章を速く読めるようになればなぁ」という軽い気持ちからフォトリーディングを始めました。

フォトリーディングを始めて、最初はよくわかりませんでしたが、2カ月ほどたって60冊を超えたくらいに、いきなり道が開けました。

「これだ！」という、初めての感覚でした。

本をたくさん読んで教養を広げたいという目標はもちろん、**とにかく人脈がとても広がりました。**勉強会やセミナー、そしてそこから大学院に通ったり、NPO活動を始めたりと、毎日が楽しくなりました。

世の中のすべての人にフォトリーディングをすすめたいです。**フォトリーディングがなければ、今の私の人生はなかった**と思います。

今、大学院で大量の文章を読みますが、概要はすぐに把握できますし、今まで読んできた本の蓄積が文章をまとめるのに助かっています。

仕事も以前より効率よくこなせるようになり、あいた時間に大学院やNPO活動などメリハリのある生活が送れています。

☆フォトリーディングは人生をより幸せに生きるためのツール

大塚咲乃代さん　会社員・コーチ

フォトリーディングに出会ったのは、NLPを学んでいたときに、その受講仲間から紹介されたことがきっかけでした。

当時の私は、特にやりたいことも見当たらず、ひたすら目の前のことを一生懸命やっている感じでした。周囲の目も気になり、周りにとらわれていました。視野が狭かったと思います。

フォトリーディングを初めて学んだとき、すでに私は

無限の可能性を感じました。

短時間で、自分に必要なことを本から得ることができるだけでなく、大量の情報をフォトリーディングで自分にインプットすることにより、多角的な視野で物事を見ることができると感じました。

始めた当初は、マインドマップを描くのに時間がかかり途中で挫折しかけました。しかし、半年後くらいにマインドマップもフォトリーディングも再度学び直し、自分なりの活用方法を見出すことによって飛躍的に向上しました。

しかも何気なく本屋で手に取った本から、まさに自分が悩んでいたことに対しての答えをもらうことが何回か重なりました。もっと早く知っていれば、会社を辞めることなく、別の人生を歩んでいただろうと思えるような本と出会えたときは、思わず本屋で身震いがしました。

フォトリーディングによって、本来は長い人生経験から学ぶような、人生にとって重要な学びを、本から短期間で得ることができました。お陰さまで、短期間で精神的にとても成長し、視野も広がり、人脈も広がりました。

フォトリーディングは、**自分の人生をしっかりと歩んでいきたいと考えている、もしくは自分が本当にほしいと思っているものを見つけたい、そんな人々に大いに役立つ勉強法**です。長い人生をより幸せに生きるためのツールだと思っています。

〈著者プロフィール〉

フォトリーディング公認インストラクターズ
ラーニング・ストラテジーズ社公認資格を持ち、フォトリーディングを教授することのできるインストラクターは、現在日本に36名、全世界で280名以上（2010年4月時点）。それぞれが経営者や大学教授、著作者、歯科医師、美容師など、別の職業を持ち、社会に貢献する一方で、フォトリーディングに魅せられ、教授資格を得て、フォトリーディングを伝えている。

本業のかたわら、フォトリーディングに関する知識を深めており、フォトリーディング講座で使われるマインドマップやブレインジム、神経言語プログラミング（ＮＬＰ）などのインストラクター資格もあわせ持っている講師が多い。

近年では子供向け、企業内研修などのプログラムも開始されている。

本文イラスト　富永三紗子
本文デザイン　白石知美（株式会社システムタンク）

フォトリーディング超速読術

2010年9月29日　　初版発行

著　者　フォトリーディング公認インストラクターズ
発行者　太田　宏
発行所　フォレスト出版株式会社
〒162-0824 東京都新宿区揚場町2－18　白宝ビル5F
電話　03-5229-5750（営業）
03-5229-5757（編集）
URL　http://www.forestpub.co.jp

印刷・製本　中央精版印刷株式会社

ISBN978-4-89451-417-1　Printed in Japan

「フォトリーディング超速読術」読者限定！

読者限定無料ダウンロード

①ALMACREATIONS配信
—秘密の動画メッセージ

②『短時間でマスター！
インスタント２倍速リーディング』
—音声プログラム

10分で2倍速くなる！

本当か？ 嘘か？ あなたがご体感ください。

必要な時間はたった10分。
コーヒー一杯飲む時間で、本を読む速度が2倍になるとしたら？
あなたはどうしますか？

詳細はこちら↓

http://www.forestpub.co.jp/photoreading

【秘密の動画メッセージの内容】

- 本書をご購入いただき、ダウンロードをしてくださった方のお役に立てる動画をご用意しております。内容はダウンロードしてからのお楽しみです。

【「短時間でマスター！　インスタント２倍速リーディング」の内容】

- ＮＬＰ並びに加速学習における権威、ポール・Ｒ・シーリィ氏が開発した「誰でも読書スピードが２倍に上がる」実績あるプログラムであり、米国Amazonでも販売されています。
- たった10分間で、フォトリーディングのテクニックの一部を実体験できるよう、日本文と英文の文書の違いを研究。Learning Strategies社公認で開発した、日本オリジナルの信頼性の高いプログラムです。
- ミネソタ州立大学の名誉教授J・マイケル・ベネット博士がご自身の教材『four Powers for Greatness（偉大な４つの力を発揮する方法）』の中で紹介しているスキタリングのテクニックの一部を学ぶことができます。
- 本書内でも紹介されている、1.本を読む姿勢、2.安定した心の状態、3.読み方のテクニックの３ステップが、聞き手にしっかりと届きやすいよう、監修者神田昌典氏がナレーションを務め、ナビゲートしてくれます。

※米国版の商品名は、『Double Your Reading Speed in 10 Minutes』となります。
※音声ダウンロード・動画ダウンロードとも１回限りの利用となりますのでご注意ください。